MEURTRE
AUX POISSONS ROUGES

ANDREA CAMILLERI
CARLO LUCARELLI

MEURTRE AUX POISSONS ROUGES

Traduit de l'italien
par Serge Quadruppani

Fleuve Noir

Titre original :
Acqua in bocca

ISBN 978-2-265-09295-2

Questure de Bologne
Brigade criminelle

De : Insp.-chef Grazia Negro
À : Dott. Salvo Montalbano c/o Commissariat de Vigàta
Objet : Demande d'informations sur meurtre aux poissons rouges

Cher collègue,

Je t'écris de ma propre initiative, personne n'est au courant, ni le dirigeant de mon service ni le questeur qui, je te le dis tout de suite, n'approuveraient pas, leur hypothèse d'enquête étant tout à fait différente sur l'affaire en question. Je dois même te signaler que les investigations que je mène ne sont non seulement pas autorisées, mais m'ont été expressément interdites par mes supérieurs. Donc, au cas où tu voudrais me répondre par la négative, je comprendrais et ne te dérangerais pas davantage. Je te demande seulement de garder ceci pour toi et de n'en rien dire à personne.

Si, au contraire, tu veux me donner un coup de main, je t'en serai reconnaissante. Je joins donc le rapport de la patrouille arrivée sur les lieux et les premières constatations, plus une copie des pièces en notre possession (nos cousins, j'en suis sûre, en ont aussi, vu que les carabiniers étaient également présents sur les lieux).

Je te salue et te remercie,

Grazia Negro

P.-S. : Mais, tel que je crois te connaître, et si ta réputation n'est pas usurpée, je suis sûre que tu m'aideras…

Questure de Bologne
Service des patrouilles

Rapport

Le soussigné, sous-brig. Rossini Ivan, chef d'équipage de la patrouille 10, en collaboration avec l'ag. Aragozzini Luciano, rapporte ce qui suit.

À 23 h 05, ce jour (27/05/2006), le Centre opérationnel demandait au soussigné de se rendre au n° 4 de la via Altaseta où, après un appel reçu au 113[1], avait été découvert un cadavre.

M'étant immédiatement rendu sur le lieu indiqué, je rencontrai dans la rue M. Albertini Giulio, mieux identifié en pièces jointes, qui, avec un comportement très agité, nous a conduits au troisième étage de l'immeuble, où j'ai constaté la présence d'un corps sans vie étendu sur le carrelage de la cuisine.

Après m'être rapproché par téléphone du

1. Le numéro de Police-Secours en Italie. *(Toutes les notes sont du traducteur.)*

Centre opérationnel, j'ai interrogé oralement ALBERTINI, lequel déclarait :

S'être rendu au logement de MAGNIFICO ARTURO, son ami depuis quelques années, pour lui rendre visite et, n'obtenant pas de réponse à ses coups réitérés frappés à la porte, s'être employé à ouvrir avec un trousseau de clés précédemment confié par MAGNIFICO. Une fois entré, il s'est mis à appeler son ami sans succès jusqu'à ce qu'il arrive dans la cuisine, où MAGNIFICO gisait sur le carrelage, la tête dans un sac plastique. Après un premier moment de désarroi, ALBERTINI est sorti du logement et a appelé le 113 avec son portable.

Sur mon interpellation directe, ALBERTINI déclare n'avoir rien touché et admet seulement avec un certain embarras avoir rendu son dîner dans un coin de la cuisine.

Les locataires du deuxième et du premier étage, les familles ROVATI et GORANIC, ces derniers de nationalité roumaine mais munis de permis de séjour réguliers, mieux identifiés en annexe, confirment avoir entendu des appels à l'aide d'ALBERTINI vers 22h50.

Mon intervention a duré de 23h05 à 24h00.

Signé
Le chef de patrouille
Sous-brig. ROSSINI Ivan

SERVICE RÉGIONAL DE POLICE SCIENTIFIQUE DE BOLOGNE

À : Comm. Div. Dir. Brigade criminelle, dott. FRANCESCHINI

OBJET : Relevés sommaires HOMICIDE MAGNIFICO

Nous récapitulons pour votre commodité les résultats des premiers relevés exécutés par nous-mêmes à 24h00, le 27/05/2006, au 4, via Altaseta.

— Le cadavre est celui de MAGNIFICO ARTURO, né à Vigàta le 26/10/1960, profession commissionnaire de transport. Il gisait couché sur le dos sur le sol de la cuisine. Il était complètement habillé, à l'exception d'une chaussure qui, en l'état actuel des investigations, n'a pas encore été retrouvée. La chaussure était un mocassin de marque TOD'S marron, pointure 42. Le cadavre portait une chemise blanche, un pantalon et une chaussure.

— La tête du cadavre était enfilée à l'intérieur d'un sac plastique transparent, sans marque, ce qui a apparemment provoqué le décès. Sur le plastique, à la hauteur de la bouche, nous avons repéré des traces suspectes d'une matière hématique vraisemblablement produite quand MAGNIFICO s'est mordu la langue durant l'étouffement.

— Le cadavre ne présentait pas de blessures de défense ni de signes de lutte compatibles avec celle qui a dû survenir. En l'état actuel de l'enquête, des analyses sont en cours pour vérifier la nature d'un hématome au poignet gauche.

— Les cheveux du cadavre et la partie supérieure de la chemise étaient encore humides, et il y avait des traces d'un liquide incolore et inodore (vraisemblablement de l'eau) sur le sol de la cuisine à la hauteur de la tête de MAGNIFICO. Des vérifications sont en cours.

— À côté de la tête de MAGNIFICO se trouvaient trois poissons rouges, du type le plus commun, morts par suffocation.

— Dans un coin de la cuisine a été retrouvée de la matière prédigérée que nous savons sans rapport direct avec l'affaire.

— Tout le reste de la maison paraît en ordre et il ne semble rien manquer. De nombreuses empreintes digitales ont été relevées, et sont actuellement en cours d'analyse.

— Aucun aquarium ni conteneur domestique pour poissons rouges n'ont été trouvés.

Signé
Le vice-directeur
Dott. SILIO BOZZI

Questure de Bologne
Brigade criminelle

PROCÈS-VERBAL
DE PREMIÈRE DÉPOSITION

Le 28 mai 2006, à 11 h 30, dans les locaux de la brigade, la soussignée insp. GRAZIA NEGRO, officier de police judiciaire, a entendu M. ALBERTINI GIULIO, 29 ans, né à Pavie le 23/02/1977, habitant au 15, vicolo dell'Inferno, à Bologne, qui a déclaré ce qui suit :

— Je connaissais Arturo depuis au moins cinq ans. Je l'avais rencontré au travail, du fait que nous étions tous deux employés dans l'entreprise de transports ARDUINO de Castel Maggiore, et j'ai continué à le fréquenter même après avoir changé de travail. Arturo était une personne tranquille et sociable, il n'avait jamais eu de problèmes avec personne. Je n'arrive pas à imaginer la raison pour laquelle on a pu le tuer ou pour laquelle il se serait ôté la vie.

Sur interpellation : Je suis venu le trouver à cette heure pour qu'il me rende quelques CD que je lui avais prêtés. Je savais qu'il se couchait très tard et j'avais l'habitude de passer chez lui sans prévenir.

Sur int. : Je ne suis pas homosexuel et je peux affirmer qu'Arturo ne l'était pas non plus. Entre nous, il n'a jamais existé de relation autre qu'amicale.

Sur int. : Arturo n'était pas marié. Il fréquentait une jeune femme prénommée MARA que je n'ai jamais vue et que je ne saurais pas identifier.

Sur int. : Je nie de la manière la plus absolue qu'Arturo ait pu posséder des poissons rouges. Il détestait les poissons, et y était allergique au point de ne pas pouvoir en manger.

Sur int. : J'ignore comment ces poissons rouges ont pu se retrouver chez Arturo.

Les déclarations ci-dessus ont été retranscrites dans le présent procès-verbal, lu, approuvé et signé par l'intéressé.

Giulio Albertini
Grazia Negro

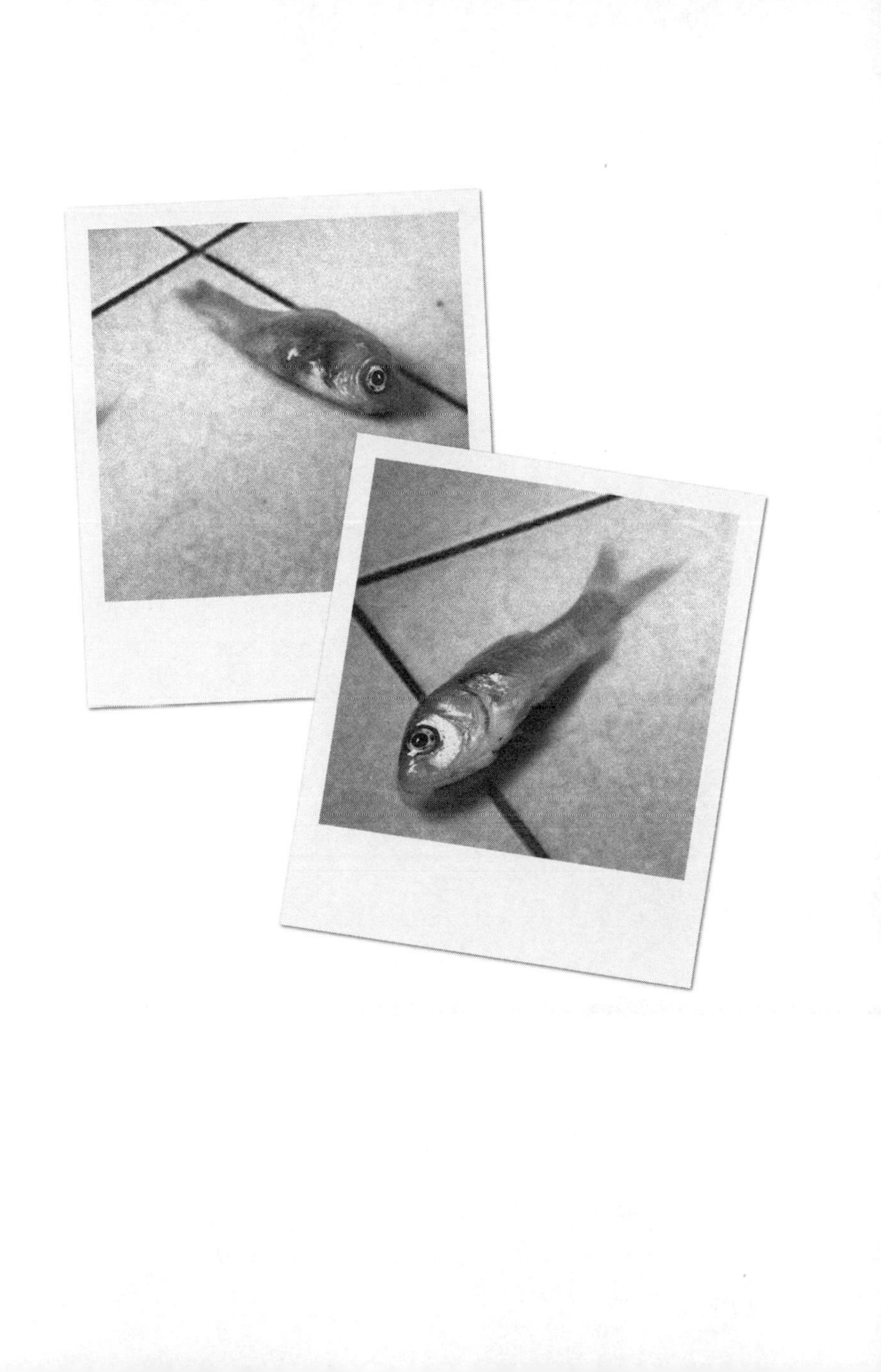

Cher collègue,

J'ajoute cette note à la fin, comme on fait dans les polars, pour piquer ta curiosité (et note que je déteste les polars).

Qui est cet Arturo Magnifico? Nous avons envoyé une demande de renseignements à votre commissariat mais mon chef dit que vous n'avez pas répondu. Je n'y crois pas. M. Albertini a disparu. Il a pris un avion à Bologne, sous son nom, pour Palerme, où il s'est volatilisé. J'ai demandé de diffuser un avis de recherche mais mon chef me l'a interdit. Selon lui, il est en vacances à cause du stress. Je n'y crois pas. Et ces poissons rouges, qu'est-ce qu'ils viennent faire là?

Je continue à enquêter pour mon propre compte par ici. Est-ce que tu veux bien me donner un coup de main du côté de chez toi?

Au revoir,

G.

À l'inspecteur-chef
Grazia Negro
Brigade criminelle
Questure de Bologne

Chère Grazia Negro,

J'ai bien reçu ta lettre et les pièces jointes.

J'hésite beaucoup à te donner un coup de main, car tu me parais du genre à chercher les ennuis. Et les ennuis, c'est contagieux. Je ne parle pas du fait que tu veuilles mener une enquête qui t'a été expressément interdite par tes supérieurs, cela, éventuellement, te rendrait sympathique à mes yeux, non, je veux parler du fait que tu veuilles m'entraîner dans une espèce d'enquête privée et non autorisée *en me le demandant sur une feuille à en-tête de la Questure de Bologne et* ***surtout*** *en adressant la lettre au commissariat de Vigàta*. Et, de fait, la lettre a été ouverte par Catarella, qui m'a téléphoné à

Marinella pour me dire qu'il y avait un Nègre qui avait tué un certain Rossi, dit Poissons Rouges. Et tu voudrais garder l'affaire sous le boisseau ? Mais qu'est-ce que tu crois ! Et puis, tu ne savais pas que tu ne pouvais pas envoyer copie de ces documents à une personne étrangère à l'enquête, vu qu'ils sont couverts par le secret de l'instruction ? Tu as perdu la tête, jeune fille ? La seule chose qui tient, en partie, dans ce que tu m'as envoyé, est la dernière page, parce que écrite sur du papier sans en-tête et signée de la seule initiale de ton prénom. En partie seulement, parce que tu as mal fait de l'écrire de ta main, il aurait mieux valu que tu la tapes à l'ordinateur. N'importe quelle expertise graphologique mènerait jusqu'à toi.

Alors, en conclusion, à ta demande de collaboration, je me trouve contraint de répondre par la négative. Je suis désolé, mais je ne te fais pas confiance.

Je t'avertis que j'ai brûlé les documents joints dans la crainte que Catarella les renvoie à la Questure de Bologne. Je sais que je t'ai déçue, mais je n'y peux rien.

S. M.

Pourrais-je avoir ton adresse personnelle ? Tu peux m'écrire à S. M., Marinella, Vigàta.

Grazia Negro
Via #######
Bologne

Chère inspectrice Negro,

Mon collègue Fazio, qui est un obsédé de l'état-civil, m'a rapporté qu'Arturo Magnifico, né ici à Vigàta le 26/10/1960, a quitté sa ville natale en 1985 pour s'installer à Bologne après avoir été licencié de la société Fratelli Boccanera, messageries maritimes. On ne sait pas grand-chose des motifs de son licenciement, la société ayant fait faillite en 1993, et les deux frères Boccanera étant morts dans un accident de la route. En tout cas, Fazio est en train de chercher qui travaillait dans l'entreprise à l'époque du licenciement pour en savoir plus.

J'ai des questions à vous poser.

La première : quelle était la taille de Magnifico ? Quel genre de corpulence avait-il ? Vous voyez, s'il portait des chaussures pointure 42, c'est qu'il avait de petits pieds, ou qu'il n'était pas grand. Vous pouvez savoir si le talon du mocassin encore présent a une talonnette ? Et s'il n'a pas de talonnette, pouvez-vous me dire de quelle hauteur est le talon ? Excusez-moi, mais je ne vois pas quel est ce modèle Tod's.

La deuxième : pouvez-vous me communiquer les mesures exactes du sac plastique ? La tête y entrait-elle tout juste ou le sac était-il large ?

La troisième : le fait qu'à côté de la tête du mort il n'y avait pas de débris de verre est-il une omission dans le rapport ? Ou bien n'y avait-il rien ?

La quatrième : Silio Bozzi (que je connais de réputation) serait-il en mesure de vous dire si l'eau qui a mouillé les cheveux et la partie supérieure de la chemise est tombée sur Magnifico quand il était debout ou quand il était déjà étendu à terre ? Je pense, mais j'en voudrais la confirmation, que l'eau est tombée pendant que Magnifico était debout, et donc encore vivant, parce que Bozzi écrit que l'eau a mouillé, en plus des cheveux, « la partie supérieure de la chemise ». Autrement, étant donné sa maniaquerie bien connue, il aurait écrit non pas « la partie supérieure », mais « la partie antérieure », vu que le cadavre gisait sur le dos.

Tenez-moi au courant.

Salutations distinguées,

Salvo Montalbano

Pourriez-vous m'envoyer une photo du cadavre dans la cuisine ?

Chère Grazia,

Je rouvre l'enveloppe pour y ajouter cette feuille, en profitant qu'il fait nuit et que Livia est allée dormir. Excuse le ton officiel que j'ai dû employer auparavant, j'ai écrit la lettre pendant que Livia allait et venait dans la maison et jetait de temps en temps un coup d'œil sur ce que j'écrivais. Le fait est que, venue de Boccadasse pour quelques jours de vacances ici, elle a lu par hasard la lettre dans laquelle tu me communiquais ton adresse personnelle. Et elle a eu un accès de jalousie inexplicable. J'ai donc dû t'adresser une liste de questions sur un ton bureaucratique et surtout sans fournir le pourquoi de ces questions. Excuse-moi, mais ces jours-ci, je voudrais être tranquille avec Livia sans lui donner de prétexte pour me casser les bonbons.

— Si l'assassin a emporté un seul mocassin, cela veut dire que probablement (c'est une hypothèse, attention !) ce mocassin contenait quelque chose de très important, caché ou dans le talon ou entre le revêtement interne et la partie supérieure interne de la semelle.

— Se pourrait-il que le sac plastique avec lequel Magnifico a été étouffé ait auparavant contenu les poissons rouges dans de l'eau ? Dans certains jeux de fêtes foraines, un des lots est justement un sac plastique contenant des poissons rouges. Ou bien je dis des conneries ?

— Les poissons rouges, comment sont-ils arrivés dans la cuisine de Magnifico, qui les détestait ? Sûrement pas en apnée. S'il n'y a pas de débris de verre (c'est-à-dire les éclats d'un bocal rempli d'eau contenant les poissons), ça conforte l'hypothèse du sac plastique.

— Il me semble important de déterminer si l'eau à l'intérieur de laquelle se trouvaient les poissons rouges a mouillé la tête et la partie supérieure des épaules de Magnifico, parce que cela signifierait que le sac a été enfilé sur la tête de Magnifico pendant qu'il était debout : les poissons, évidemment, ont glissé avec l'eau. Mais ç'aurait été superbe si un des poissons était resté à l'intérieur du sac. Tu t'imagines Magnifico, qui déteste les poissons et qui est allergique à eux, mourant lentement étouffé pendant qu'un poisson se débat désespérément sur son nez, sa bouche, ses yeux ? Ne tiens pas compte de ce que je viens d'écrire, ça fait partie de mes fantasmagories personnelles.

— Tu sais combien il est important de « photographier » avec ses propres yeux et sa propre sensibilité l'endroit où a été commis un crime. Donc, je ressens le besoin d'avoir au moins une photo de la police scientifique.

Chère Grazia, excuse-moi encore.
Amicalement,

Salvo

Je rouvre encore l'enveloppe. Mais ton avis sur toute l'affaire, c'est quoi ?
S.

Cher collègue,

Excuuse-moi de te répondre aved tant de retard, mais l'article du *Carlino* que je te joins te permettra de comprendre pourquoi. Ne t'inquiète pas, avec lamain gauche, j'arriv aussi bien à taper qu'à tirer, au pire je ferai quelques fautzs de frappe (detoute façon, j'ai jamais été trrès bonne en tir).

Je commence par répondre à quelques-unes de tes questions. Il n'y avait pas de bouts de verre dans la vuisine. Je le sais avec ceritude parce que j'en ai parlé avec les fonctionnaires de la scientifique qui ont examiné les lieux (avec Silio, il m'a été impèossible de parler : on nous a à l'œil tous les deux). Donc, PAS DE VERRE. Et il n'y a pas que ça : indiscrétions du laborartoire de la scientifique (ça m'a coûté une invitation à dîner de ce chacal de Cinelli, qui le dirige, mais ce n'est pas un problème, avec la main gache, je peux aussi balancer des bafffes). Dans le sac, dont je te joins une photo volée pendant que le chacal regardait mes jambes, il y avait des restes de nourriture pour chat, des traces d'écailles de *Carassius auratus* (c'est-à-dire de poisson rouge) et un autr trucc que je ne te dis pas pour pas te gâcher la surprprise (c'est dans l'extrait du rapport d'autopsie que je te joins). Ce que je pense : les poissons arrivent dans le pertit sac dans lequel on enfile la tête de Magnficio. L'eau coule sur la chemise, les poissons presque (voir rapport) et Magnifico étouffe.

Concernant les chaussures : bravo. La pointure ne correspond pas. Arturo Mgnifico mesurait 1 m 82 et d'après ce que se rappellent les types de la scientifique, il avait aussi de sacrés arpions. J'ai vérifié dans le premier procès-verbal : il est écrit que la chaussure était enfilée sur le pied, mais pas chussée. Connaissant moi aussi la maniaquerie de Silio je suis sûre qu'il voulait dire que le pied n'était pas entièrement dans la chaussure. Si je pouvais revenir sur la scène de crime et examiner les chaussures présentes dans le logement, je découvrirais que Margnifico Arturo faisait une autre pointure. Je joins une photo de la Tod's, pièce à conviction (volée pendant que le chacal regardait mes nichons). Ton idée qu'elles aient contenu quelque chose me semble un excellent point à creuser.

Pour la photo du cadavre, il n'y a rien eu à faire, je n'avais plus d'argumeents pour le chacal. Mais il y a un journaliste qui en a pris une et j'essaierai de l'entreprendre.

Pourl'instant, c'est tout, lis le rapport.

À bientôt,
G.

Cher collègue,

Moi aussi, j'ai succombé à la tentation de rouvrir les enveloppes pour y ajouter autre chose, et je crois que ça, c'est important. Vu que je suis en congés forvcés pour quelqvues jours, j'ai fait des tours à droite et à auche. J'ai passé au peigne fin les commerces d'animaux qui proposent des poissons tropicaux en essayant d'en trouver un qui ait vendu à la fois des poissons rouges et un *Betta splendens*. Je l'ai trouvé. Il est à l'autre bout de la ville. Le marchand m'a montré le ticket de caisse qui a été émis justement le jour du crime, le 27/05/2006, à 16 h 30. Il m'a aussi montré les sacs qu'on utilise pour le transport des poissons et ils sont identiques à celui qui a été retrouvé sur la tête de Magnifico. Coup de pot : le marchand se rappelle très bien qui les lui a achetés. Parce que c'est une femme, une belle rousse dans les 35 ans, très élégante et avec des nichons pas mal du tout (mais vous êtes tous comme ça, vous les hommes ?).

Au revoir,

G.

P.-S. : Tu sais, il n'y a pas que Livia qui est jalouse. Moi, j'ai Simone qui me tourne autour, et même s'il est non-voyant il sent très bien que j'écris et que je m'agite comme une folle. « À qui tu écris ? » m'a-t-il demandé. « À un collègue. » Mais j'ai l'impression qu'il ne me croit pas et c'est tant mieux. Ça te dérange si je me sers de toi comme amant présumé ? Entre Simone et moi, ça ne va pas très fort en ce moment et je voudrais le provoquer un peu. C'est une relation à laquelle je tiens beaucoup. Mais je ne veux pas t'ennuyer avec mes histoires personnelles.

À bientôt donc,
G.

UNIVERSITÉ DE BOLOGNE
INSTITUT MÉDICO-LÉGAL

Bologne, 30 juin 2006

Cher dott. La Pietra,

Je récapitule pour plus de commodité ce qui est apparu concernant les causes de la mort de MAGNIFICO ARTURO au cours de l'autopsie pratiquée le 28/05/2006 à la demande des autorités judiciaires.

— La victime est décédée par asphyxie à la suite d'un étouffement dû à une occlusion des voies respiratoires provoquée par le sac plastique versé aux pièces à conviction.

— L'asphyxie a été facilitée par une occlusion supplémentaire des voies respiratoires qui avait échappé dans un premier temps à l'observation du médecin légiste, laquelle occlusion s'est déroulée au même moment que les faits et n'a été découverte qu'au cours de l'autopsie.

— L'occlusion supplémentaire a été provoquée par un spécimen de *Betta splendens*, plus connu sous le nom de « poisson combattant », qui avait glissé profondément dans la cavité orale de Magnifico.

Salutations distinguées,

Pr. Antonio Cipolla D'Abruzzo

Il Resto del Carlino
Bologne

SPECTACULAIRE ACCIDENT
SUR LA VIA EMILIA
Elle provoque une collision
en grillant un feu

Bologne – Le feu rouge, les freins qui ne fonctionnent pas, le camion qui arrive. Grazia N., inspecteur de police de la brigade criminelle de la Questure de Bologne, a frôlé la mort hier après-midi, lors d'un accident sur la via Emilia près de San Lazzaro. La Fiat Panda conduite par l'inspectrice débouchait via Emilia quand le feu est passé au rouge. L'inspectrice n'a pas pu freiner à temps et a traversé à grande vitesse la via Emilia juste comme un poids lourd arrivait en direction de Bologne. La Panda, tamponnée, a exécuté plusieurs tonneaux, avant de s'échouer sur le bord de la route. L'inspectrice souffre de multiples contusions, d'un début de commotion cérébrale et d'une fracture de la main droite. Les circonstances de l'accident restent encore à éclaircir.

Circonstances à éclaircir mon cul, on m'a saboté les freins. J'ai vérifié, le chauffeur du poids lourd n'est pas dans le coup. Pour moi, ils voulaient juste me lancer un avertissement. Mais à quel sujet ?

G.

POSTES ITALIENNES - DISTRIBUTION BOLOGNE

ZCZC GTI05 016/2F
IGRM CO IGMI 022
0922 VIGATAPHONE 22 04 1055
04/07/2006

GRAZIA NEGRO (I1322)
BRIGADE CRIMINELLE
QUESTURE DE BOLOGNE

APPRENANT TON GRAVE ACCIDENT ME RÉJOUIS SE SOIT RELATIVEMENT BIEN FINI EXPRIME MEILLEURS VŒUX GUÉRISON AUXQUELS S'ASSOCIE L'ECCLÉSIASTIQUE QUE TU CONNAIS DEPUIS 11 ANS ET QUI HABITE DANS MA RUE 31/33 DE NOUVEAU BON RÉTABLISSEMENT
SALVO MONTALBANO

EXPÉDITEUR
SALVO MONTALBANO
COMMISSARIAT DE POLICE
VIGÀTA (MONTELUSA)

Chère Grazia,

Je suis une amie de Salvo Montalbano, je m'appelle Ingrid et je suis de passage à Bologne. Salvo m'a priée de me mettre en contact avec toi non pas par téléphone mais par ce billet, que je vais glisser directement dans ta boîte aux lettres.

Je suis chez un ami, au 52, via Saragozza, mais je vais repartir. J'ai laissé au concierge un paquet de six cannoli que t'envoie Salvo, lequel te prie de les manger seule, sans en offrir à tes amis.

Ingrid

Chère Grazia,

J'espère que tu n'as pas avalé cette lettre que tu devais trouver à l'intérieur d'un cannolo. Et excuse-moi si elle est écrite en petits caractères, mais je ne pouvais faire autrement pour l'y introduire. À propos, ils étaient encore mangeables, les cannoli ? J'espère que tu auras compris qui était l'ecclésiastique du télégramme que je me suis empressé de t'envoyer quand j'ai appris l'accident. C'est l'Ecclésiaste, XI, 31-33, de l'Ancien Testament, qui dit plus ou moins : « Ne laisse entrer aucun étranger dans la maison car il y sèmera le trouble. »

Tu comprends qu'il n'est pas dans mes habitudes de recourir à des citations bibliques, mais je dois t'avouer que je suis assez inquiet. Parce que, tu vois, toi, sous la coupure de journal que tu m'as envoyée, tu m'écris qu'il s'agissait d'un avertissement. Qu'est-ce que tu en sais ? Mais merde, comment ils pouvaient prévoir qu'avec les freins sabotés, tu t'en sortirais juste avec une main fracturée et un début de commotion cérébrale, en heurtant un poids lourd ?

Non, ma chère. D'après moi, ils voulaient te tuer et tu as vraiment eu beaucoup de pot.

Rappelle-toi que, dans cette histoire, deux personnes sont déjà mortes dans un accident de voiture : je veux parler des frères Boccanera, propriétaires d'une messagerie maritime et ex-employeurs de Magnifico. Peut-être n'y a-t-il aucun rapport entre les deux faits, mais peut-être que si. Parce que tu vois, chère Grazia, il n'y a pas que le destin qui fasse mourir les gens dans des accidents de voiture, bien souvent interviennent les services dits « pervertis ». Et moi, je commence à sentir la puanteur très spéciale que ces gens répandent autour d'eux.

Maintenant, quoi qu'il en soit, le fait qu'ils aient attenté à ta vie rend tout beaucoup plus compliqué. Parce qu'il est clair que tu t'es fichue dans un beau merdier. Ceux qui sont derrière tout ça veulent évidemment que les conclusions de l'enquête liée à la mort de Magnifico soient bien orientées, sans risque d'interférences dangereuses comme pourraient l'être la tienne ou la mienne. Voilà pourquoi je prends toutes ces précautions qui, étant donné ton jeune âge, te sembleront peut-être ridicules. Mais si toi aussi, pour m'écrire, tu inventais quelque chose, ce serait pas mal.

Je suis parvenu à la conclusion que QUELQU'UN NE TE DIT PAS LA VÉRITÉ SUR LA MORT DE MAGNIFICO.

Essayons d'y comprendre quelque chose, Grazia. Les différents rapports révèlent que Magnifico est mort d'asphyxie parce qu'on lui a fourré la tête dans un sac plastique. Or, Magnifico est un gaillard de 1 m 82. Comment a-t-on pu le faire sans l'étourdir d'une manière ou d'une autre? Est-il possible qu'il n'en subsiste aucune trace? Dans les premiers relevés sommaires de la scientifique que tu m'as envoyés, on fait allusion à un hématome au poignet gauche sur la nature duquel on promettait des analyses. Tu les as eus, ces résultats? C'est quoi, en somme, cet hématome? Ou bien on l'a fait boire? En tout cas, il me semble que l'on peut exclure l'hypothèse selon laquelle on aurait réussi à le convaincre de se fourrer seul la tête dans le sac.

Quand je suis arrivé au dernier point du rapport de l'Institut de médecine légale sur l'autopsie d'Arturo Magnifico, où on dit que l'occlusion supplémentaire des voies respiratoires a été provoquée par un spécimen de *Betta splendens*, « glissé profondément » à l'intérieur de la cavité orale de la victime, cette puanteur de services secrets a été si forte que j'en ai eu la nausée. Je ne voudrais pas me tromper, mais je crois malheureusement connaître le nom de la femme qui a acheté le sac à poissons rouges, cette rousse dans les 35 ans, élégante avec de beaux nibards. Les beaux nibards, elle les a toujours, mais elle n'est pas toujours rousse, certaines fois, elle est blonde, d'autres, brune. Retourne voir le commerçant (qui a dû observer la cliente de près), et demande-lui s'il a remarqué un petit grain de beauté à côté de l'œil gauche de la dame. S'il te répond oui, je t'en supplie, Grazia, retire-toi immédiatement de cette affaire.

Salvo

Cette feuille va être imprégnée de ricotta, mais j'espère qu'elle restera lisible.

S.

Chère Grazia,

Ne pouvant rouvrir l'enveloppe, j'ouvre un autre cannolo. Toujours dans l'espoir que tu n'avaleras pas le billet. Je voulais t'informer que j'ai acheté des chaussures semblables à celle de la photo que tu m'as envoyée. J'ai retiré le talon de l'une d'elles. Il y a assez de place pour y cacher tout ce qu'on veut, des documents aux microfilms. Donc, à mon avis, le mobile du meurtre réside bien dans l'emparement de ce que Magnifico cachait dans son talon. Excuse le mauvais italien mais Ingrid me presse. J'ai collé le talon avec de la colle forte et j'ai offert les chaussures à Catarella.

S.

A. F. TAMBURINI

CHARCUTERIE BOLOGNAISE HISTORIQUE

1, via Caprarie – 40124 Bologne

Tél. +39 051 234726 – fax +39 051 23226

Cher client,

Veuillez recevoir ce présent gastronomique constitué de un kilo de tortellini faits main suivant la plus ancienne tradition bolognaise.

Votre nom nous a été indiqué comme celui d'une « bonne fourchette » par M. *Carlo Lucarelli*, un habitué de notre maison.

Dans l'espérance que vous apprécierez notre initiative, je vous envoie mes plus cordiales salutations.

Bon appétit !

Giovanni Tamburini

Cher Salvo,

J'ai réussi à manger les cannoli sans m'étouffer avec les billets, j'espère que tu apprécieras les tortellini que je t'ai envoyés avec la complicité des amis Tamburini et Lucarelli. Excuse-moi si j'écris petit, mais j'essaie de faire tenir sur ce plateau de carton le plus de nouvelles possible.

Alors : oui, Gros Nichons a un grain de beauté à l'œil gauche, le commerçant se le rappelle très bien, même si ce n'était pas exactement ça qu'il regardait. Qui est-ce? C'est toi qui as raison, quelqu'un me raconte des calembredaines. J'ai parlé avec le légiste et j'ai découvert que le rapport d'autopsie qui figure dans le dossier n'est pas celui qu'il a rédigé. Ou plutôt, il en manque une partie. Il y a une annexe qui a disparu et qui analysait l'hématome au poignet gauche et l'attribuait au bracelet d'une montre arrachée ou tordue avec force. Pour la prendre, vu qu'elle a disparu.

Et puis il y a l'examen toxicologique. Oui, dans le sang de Magnifico, il y avait un taux d'alcool tel que si la police de la route lui avait fait passer un Alcootest, il aurait fait exploser le ballon. On l'a fait boire, et pour moi, la responsable, c'est Gros Nichons (je répète : vous êtes tous comme ça, vous, les hommes ?).

En ce qui concerne ton invitation à me retirer de l'affaire, c'est trop tard, mon cher commissaire, désormais j'y suis mêlée et je veux aller jusqu'au bout. Et pas parce que je me prends pour Rambo, mais parce que je suis curieuse, et je n'y peux rien.

C'est comme ça que je suis retournée sur les lieux du crime, et… Tadam ! j'ai déniché Mme Cefoli. Je crois qu'il y en a une dans chaque immeuble, et surtout dans cette province. Mme Cefoli est ce qu'on appelle par ici « une marchande d'oignons », c'est-à-dire une femme qui ne sait pas s'occuper de ses oignons. Et c'est une chance. Elle était à la fenêtre de la maison d'en face, vers 22 heures, et elle a vu une femme sortir du 4, via Altaseta. Elle n'a pas remarqué les nichons, mais elle a vu qu'elle était en compagnie d'un type chauve plutôt corpulent avec une barbiche. Il avait une montre à la main, qu'il a glissée dans sa poche.

Maintenant, voilà le plus beau, qui n'est pas beau du tout. Ce témoignage sommaire, Mme Cefoli l'avait déjà fourni. Pas au collègue de la patrouille arrivée en premier sur les lieux, mais à un autre dont elle ne se rappelle pas le nom et qui se l'est gardé sous le coude, vu qu'il n'a jamais été ajouté au dossier. J'ai l'impression que tu as raison, cher commissaire, là, ça pue les services secrets.

As-tu des nouvelles de l'ami de Magnifico ? Vu comment les frères Boccanera ont fini, il me semble qu'un vent mauvais souffle sur Palerme et il me paraît étrange qu'il ait choisi justement cette ville pour des vacances.

J'ai aussi fait autre chose, et tu peux comprendre ce que ça m'a coûté : je suis allée voir les carabiniers. Je t'avais écrit que, d'après moi, les cousins avaient gardé quelque chose pour eux, et je ne m'étais pas trompée.

J'ai parlé avec un de mes amis adjudant et j'ai découvert que les perdreaux ne se sont pas intéressés à l'enquête juste par esprit de concurrence. Il y a un brigadier qui était de service à Trapani, on ne sait pas trop pour quoi faire, qui s'est suicidé il y a deux semaines. Les cousins ont le relevé de ses appels téléphoniques, et il y en a beaucoup au numéro de Magnifico. Et sais-tu comment s'appelle – plutôt s'appelait – le brigadier ? PESCI, poissons. Oui : Pesci. Vincenzo Maria Pesci.

Alors, je sais que maintenant, tu vas dire que je suis naïve de poser toutes ces questions et surtout aux carabiniers, mais moi je te dis que je ne suis pas naïve, parce que je l'ai fait exprès. Je suis peut-être folle, mais pas naïve. Je veux voir ce qui va se passer, si quelqu'un sort de son trou, et à quel niveau. Parce que là, il y a un tas de pièces et de nouvelles qui ont été occultées. Par qui ? Un collègue ? Mon divisionnaire ? Le magistrat ?

À partir de demain, je serai de nouveau en service, les yeux et les oreilles aux aguets. J'ai fait appel à un ami à moi qui surveille mes arrières. S'il y a quelque chose de bizarre, je m'en apercevrai.

Au revoir et à bientôt,

G.

P.-S. : Mange-les tout de suite, les tortellini, parce qu'ils ne tiendront pas longtemps. Lucarelli m'oblige à t'écrire la recette du bouillon, pour que tu ne t'avises pas de les manger juste cuits à l'eau, même avec de la crème fraîche. Il dit que c'est comme ça que les prépare sa maman : un peu de viande de bœuf, un peu de poule (pas de chapon parce que sinon ça a trop de goût, il faut que le bouillon reste léger pour ne pas couvrir la saveur des tortellini), un bout de langue, des os, du céleri et des carottes. Écumer de temps en temps. Entre les cannoli et les tortellini au bouillon, ça commence à ressembler davantage à un livre de cuisine qu'à une enquête.

Grazia, tu devrais toi aussi utiliser la vieille manière
de faire le bouillon pour les tortellini ou trouver le système
pour déchiffrer avec calme et beaucoup de patience
les vieilles recettes de grand-mère. Ça en vaut la peine.
Catarella va venir un de ces jours prochains
avec moi en vacances peut-être dans les Dolomites,
pirsonnellement en pirsonne.
J'y ai longuement réfléchi, crois-moi, mais
c'est une précaution absolument indispensable.
Laissé seul à Vigàta il ferait certainement des dégâts.
Avec une longue lettre de moi
je te décrirai les vacances en détail.

Salvo

13 juillet

Chère Grazia,

J'espère que tu as facilement décrypté le billet dans lequel, suivant un vieux système de l'école élémentaire, c'est-à-dire en écrivant le message une ligne sur deux, je t'annonçais l'arrivée de Catarella avec une longue lettre de moi. Certaines fois, les systèmes les plus infantiles s'avèrent les plus sûrs. À mon avis, la situation dans laquelle tu t'es fourrée est extrêmement sérieuse. Avant, je ne faisais que le craindre. Maintenant, après ta lettre aux tortellini (remercie Lucarelli, j'ai fait exécuter par Adelina la recette qu'il m'a gentiment envoyée. Exquis !), j'en ai la certitude absolue.

Je t'envoie une coupure de journal qui parle du suicide du brigadier Vincenzo Mario Pesci. Tu vois bien, chère Grazia, que le nom de famille du brigadier n'est qu'une simple coïncidence. Je pourrais en rajouter une louche en te faisant savoir que Pesci est né sous le signe du Poisson et qu'il ne mangeait que du poisson, étant donné que la viande le dégoûtait. Mieux vaut laisser tomber. C'est une voie qui mène à Cul-de-Sac. Lis la coupure avant de poursuivre.

Tu l'as lue ? J'ai mal découpé la feuille, il manque la dernière ligne où il est dit que, selon la rumeur, Pesci, qui avait le démon du jeu chevillé au corps, était accablé de dettes. Tout comme on pouvait s'y attendre. Et si, maintenant, je te disais que parmi les poissons du colonel Infante, il y avait un spécimen de *Betta splendens* ? Et que le colonel Infante n'est jamais parti en retraite, comme il l'a répété partout, mais qu'il continue à travailler pour les services ?

Mon idée, et je n'ai pas dû faire beaucoup d'efforts pour y aboutir, est qu'ils sont en train de couper des branches mortes et que l'élagueuse appelée à opérer la taille est ELISABETTA GARDINI, dite BETTA, laquelle signe toujours son travail en laissant sur les lieux un *Betta splendens* – et si elle le trouve déjà sur place, tant mieux. Je sais bien qu'il existe une autre Elisabetta Gardini qui est actrice et porte-parole politique[1], mais je n'y peux rien, il s'agit d'une homonyme.

1. Elisabetta Gardini est une de ces actrices de télévision à belle plastique qui ont fait une carrière politique grâce au berlusconisme. Elle s'est rendue célèbre par ses bourdes de cancre.

Je t'ai fait une petite fiche sur Gardini.

GARDINI ELISABETTA – Née à Pordenone le 3 septembre 1970, études au lycée de sa ville, licence de sciences politiques à Venise. En 1989, est élue « plus belle poitrine du Frioul-Vénétie-Julienne ». (*Note hors fiche : il y a donc une raison pour qu'elle soit appelée Gros Nichons.*) Juste après l'université, remporte un concours pour entrer dans la police. Démissionne après avoir rapidement atteint le grade de commissaire adjoint. Et disparaît de la circulation. Un de mes amis très au fait des affaires des services secrets italiens et étrangers, Alberto Ari (dit « Mata-Ari »), m'a parlé de notre Elisabetta. Formidable tireur d'élite, experte en arts martiaux, elle a été recrutée à prix d'or par la Deuxième Division du Sismi[1]. Elle l'a quitté aussi pour entrer, paraît-il, dans un groupe très restreint chargé des plus sales boulots. Alberto lui attribue au moins trois meurtres. Celui du commandant Menegozzi, qui se noya, à cause d'un supposé malaise, dans sa baignoire. Celui de Heinz Lussen, qui mourut noyé avec trois autres personnes suite à la rupture impromptue d'une plaque de verre de l'aquarium de Hambourg (parmi les poissons, il y avait plusieurs *Betta splendens*). Celui d'Amilcare Benti, qui tomba dans un puits de sa maison de campagne

1. Service d'information et de sécurité militaire, disparu en 2007 au profit de l'Agence d'information et de sécurité extérieure.

à Seggiano (province de Grosseto). Betta Gardini donne la mort avec de l'eau.

Et si on ajoutait à la liste d'Ari les noms de Vincenzo Pesci et d'Arturo Magnifico ?

Mme Gardini a tant de couvertures (je crois même chez les gardes forestiers et les gardes suisses) qu'elle peut montrer impunément son grain de beauté même au marchand de poissons rouges.

Le témoignage de Mme Cefoli est précieux. Dans le boîtier de la montre arrachée à Magnifico, il devait y avoir quelque chose (un microfilm ?) déchiffrable grâce à un code contenu dans le talon de la chaussure.

Ça te paraît une idée à la James Bond ? N'oublie pas que chez nous, il a été possible d'enlever en plein jour Abou Omar[1] avec la participation de la CIA et du Sismi. Et ça ne te rappelle rien, le suicide (?) du haut d'un viaduc de Bove[2], qui avait permis à la Digos[3] de comprendre les méfaits du Sismi ?

1. Imam enlevé à Milan en 2003 par la CIA avec l'aide des services secrets italiens, et transféré en Égypte, où il a été torturé.

2. Adamo Bove était un responsable des télécoms italiens qui avait permis l'instauration d'un très vaste système d'écoutes clandestines au profit de personnes privées. Également mêlé au scandale Abou Omar, il s'est tué en 2007.

3. Police politique italienne. Équivalent de la DCRI en France.

Selon moi, Pesci et Magnifico étaient complices et se servaient de certains documents en possession de Magnifico pour faire chanter les services. Betta a fait du nettoyage. Mais peut-être que je me trompe. Dis-moi ce que tu en penses.

Tiens-toi à l'écart même des flaques d'eau.

Salvo

Le 18 juillet

Chère Grazia,

J'ai dû rouvrir l'enveloppe, tu dois corriger mon message. À la place de Catarella, tu vas voir apparaître Mimì Augello, mon adjoint. Voilà ce qui s'est passé. Réticent comme toujours à prendre l'avion, Catarella est monté à Palerme dans un train très lent qui met quarante-huit heures, ou presque, pour rejoindre Milan. Un jour après son départ, Fazio a reçu un coup de fil de lui. Il s'était endormi, et réveillé au moment où le train était à l'arrêt dans une gare dont il n'arrivait pas à saisir le nom, il est descendu en courant. Le train est reparti et il s'est retrouvé à la gare de Florence. Alors, il a téléphoné pour demander des instructions. Fazio lui a conseillé de prendre le premier train à destination de Bologne. Encore une journée plus tard, nous avons reçu un nouveau coup de fil désespéré. Ça venait de Reggio de Calabre. Catarella n'avait pas pris un train pour Bologne, mais en provenance de Bologne. Conclusion, nous avons dû le récupérer en requérant la collaboration de la police des chemins de fer.

Juste quand j'avais perdu tout espoir, Mimì m'a demandé trois jours de congé pour aller à Bologne rendre visite à un ami malade. J'en ai tout de suite profité pour lui donner la lettre qui t'est destinée.

Note bien que :

a) Mimì ignore tout de nos trafics.

b) Tu es pour moi (... *la plus belle du monde,* continuerait don Marino Barretto Jr) une amie de Livia qui a un problème.

c) Mimì Augello est un coureur, ça veut dire qu'il court non pas après tous les jupons qui passent, mais après ce qu'ils contiennent. Ce n'est qu'un avertissement, pour le reste ça te regarde, tu es majeure et, je crois, vaccinée.

Salvo

Il Corriere della sera

Suicide insolite d'un brigadier des carabiniers

Palerme – Le brigadier des carabiniers Vincenzo Pesci, 42 ans, en service auprès du Commandement provincial de son Arme à Trapani, a rendu une visite de courtoisie à l'un de ses anciens supérieurs, le colonel en retraite Mario Infante, qui vit à Aspra dans une villa. Après avoir déjeuné avec le brigadier, qui semblait serein, le colonel Infante s'est retiré pour un somme postprandial. Réveillé au bout d'une heure, Infante est descendu au jardin, où il a découvert le corps du brigadier flottant dans un très vaste bassin à poissons tropicaux qu'il possède. Toutes tentatives pour le ramener à la vie sont restées vaines. Il ne peut s'agir que du geste d'un désespéré, car le bassin se trouve protégé par une barrière plutôt haute. Quant aux causes du suicide, nous avons recueilli des témoignages qui tendraient à laisser penser que Pesci était accablé de

QUESTURE DE BOLOGNE
BRIGADE CRIMINELLE

De : Insp.-chef Grazia Negro
À : Dott. Salvo Montalbano c/o Commissariat de Vigàta
Objet : Demande renseignements colonel à la retraite INFANTE MARIO

Cher collègue,

Par la présente, je viens te demander avec déférence de bien vouloir me fournir des informations sur le personnage susnommé dont la fiche d'identité est en pièce jointe, renseignements que j'estime utiles à l'éclaircissement d'une enquête réservée sur laquelle je ne puis te fournir de détails. Cela concerne une affaire dont je te parlerai en temps voulu, et je te serais reconnaissante si tu voulais bien accéder à ma requête sans me poser de questions.

En te remerciant à l'avance, je te salue.

Grazia Negro

Cher Salvo,

C'est toi qui as raison, les vieux systèmes sont toujours les meilleurs, donc ne te plains pas si maintenant tu te crèves les yeux à lire ma calligraphie minuscule et si pâle, je devais faire tenir beaucoup de choses sur cette carte et l'encre sympathique ne vaut pas une imprimante laser. Alors, je réponds aux questions que tu t'es sûrement posées.

La première concerne l'œil au beurre noir de ton ami Augello. Non, ce n'est pas moi qui le lui ai fait. Tu avais raison, le beau Mimì se donne beaucoup de mal avec les femmes, il a tenté le coup tout de suite avec moi, au point que même l'idée que j'étais lesbienne (ce que croient quelques-uns de mes collègues) n'a pas suffi à le calmer. J'ai dû le rediriger vers la collègue Balboni, plus séduisante que moi, qui est vraiment lesbienne en plus d'être championne interforces de kickboxing. L'oeil au beurre noir, c'est elle qui le lui a fait.

La deuxième chose : non, je n'ai pas perdu la boule. Je t'ai envoyé la requête officielle de renseignements pour sortir à découvert. J'ai même laissé le brouillon de la lettre sur mon bureau de manière à ce que mon chef la voie, et de fait, maintenant, je suis en congés forcés et plus ou moins officiellement suspendue du service. Et je suis sûre que la lettre que je t'ai envoyée a elle aussi été interceptée (comme tu as dû le remarquer, j'ai spécifié que tu ne sais rien de rien, je ne voulais pas te mettre en danger).

J'ai fait cela parce qu'ils sont remontés jusqu'à moi. Depuis deux jours, j'ai une nouvelle voisine. Avec un beau grain de beauté, très mignon. Elle a un autre nom de famille, mais elle se prénomme

Betta. Alors, plutôt que de servir de cible, je préfère servir d'appât. Je profite des vacances forcées et, d'ici quelques jours (juste le temps d'attendre ta réponse, que j'irai récupérer en traînant à la questure sans trop me faire remarquer), je partirai à la mer à Milano Marittima, où ma collègue Balboni a une maison. J'y vais avec mon pistolet et la collègue (on a mis les choses au clair et elle n'essaie plus de me draguer) et je les attends là.

J'espère que nous pourrons bientôt nous parler.

Affectueusement,

G.

Commissariat de Vigàta

Objet : Colonel en retraite Infante Mario
Prot : 456/RI29

Chère collègue,

Malheureusement, je ne ~~peux~~ suis en mesure de te fournir que de rares renseignements sur le colonel en retraite Infante Mario.

Il est né à Palerme le 5/02/1941. Son père, Filippo, préfet de l'ancien Royaume, ayant été transféré à Naples, a pu fréquenter la célèbre école de la Nunziatella, choisissant ainsi la voie d'une ~~vie~~ carrière militaire. Laquelle a été très brillante, au point qu'il est devenu conseiller militaire, pendant quatre ans, à partir de 1985, dans notre ambassade de Washington. Quelques mois ~~plus tard~~ après son retour en Italie, il a été officiellement mis à la retraite anticipée à sa demande.

Il ne s'est jamais marié. Il est domicilié à Palerme, 22 bis via G.-Nicotera. Il se rend assez souvent à l'étranger parce qu'il est vice-président d'une société d'import-export, la ~~Transpeuro~~ Transeuro.

Il possède, en plus de la villa d'Aspra, une

grande ferme dans un vaste domaine à Pian dei Cavalli, à deux pas de la bicoque où a été arrêté Bernardo Provenzano[1].

Curieuse coïncidence, le colonel est propriétaire d'un cheval qu'il appelle Svetonio[2].

De lui, je ~~ne suis pas en mesure~~ ne sais rien de plus.

~~Très cordialement~~. Salutations cordiales,

Salvo Montalbano

21 12/6 16 14 22 15 12 6 16/
6 11 8/11 16/ 17 19 8 20 16/
12 15/4 9 9 12 21 21 16/ 22 15/
4 17 17 4 19 21 4 14 8 15 21 16/4/
14 12 13 4 15 16/14 4 19 12 21 21 12 14 4/
12 15/23 12 4/19 16 14 4/15 22 14 8 19 16/31/
4/15 16 14 8/10 12 16 19 10 12 16/
6 16 20 21 4/

1. Le 11 avril 2006, Provenzano, considéré comme le chef suprême de la mafia, a été arrêté après quarante et un ans d'une cavale qui aurait été protégée par des services d'État.

2. Allusion au nom de code (Svetonio) qu'un chef mafieux utilisait pour désigner un ancien maire de Trapani, soupçonné par la justice de collusion, dans sa correspondance, avec Provenzano.

Commissariat de Vigàta

Objet : Colonel en retraite Infante Mario
Prot : 456/RI29

Chère collègue,

Je suis vraiment mortifié, mais l'ineffable Catarella t'a expédié le brouillon de ma réponse à ta demande d'informations sur le colonel à la retraite Mario Infante.

Il est inutile que je te retranscrive les informations, tu as déjà pu les lire. Excuse-moi pour les mots barrés et ces chiffres incompréhensibles au crayon, qui sont mes notes sur les tours de garde, les congés, etc.

Je te salue,

Salvo Montalbano

Hier soir, en rentrant chez moi, j'ai trouvé ta lettre glissée sous la porte de mon appartement. Signe que tu as réussi à déchiffrer le code (du reste facile) que Provenzano utilisait pour ses *pizzini*[1].

Je me trouve à Milano Marittima depuis maintenant deux jours et je désespérais d'avoir de tes nouvelles. D'autre part, dans la dernière lettre que tu m'as fait parvenir, il manquait l'adresse de l'appartement dans lequel tu devais venir habiter avec ton amie. Hier, enfin, tu as daigné me la communiquer. Je crois que nous nous trouvons assez près l'un de l'autre. Ce qui peut être un bien comme un mal. Ici, ça fait deux jours que je m'ennuie mortellement. Tu vois, pour moi, Milano et Marittima, « Milan » et « Maritime », constituent un oxymore assez difficile à accepter.

1. Provenzano ne communiquait avec le reste de la mafia que par l'intermédiaire de petits billets (les *pizzini*) transmis de la main à la main à travers toute la Sicile.

Tu m'apprends que notre Betta n'est pas encore arrivée. Ce qui signifie que tu sais où est son logement et que tu le tiens à l'œil.

Pourrais-je avoir l'honneur d'en être informé moi aussi ? Parce que je pense que ton idée de t'offrir comme appât est pure folie. En tous les cas, je n'ai aucune intention de te laisser seule dans cette aventure qui va me coûter cher. Je ne veux pas dire en tant que commissaire, mais en tant qu'homme. Avant de partir j'ai laissé l'adresse de M.M. à Mimì Augello. J'ignore comment, mais Catarella a dû en avoir connaissance. Eh bien, le premier soir où je suis arrivé ici, j'ai téléphoné de mon portable à Livia. Je ne lui ai pas dit que je me trouvais à Milano Marittima, j'ai fait mine de me promener sur la plage à Vigàta. Mais Livia a dû me rappeler tout de suite et, ne me trouvant pas, a dû insister sans obtenir de réponse. De sorte que, très inquiète, le lendemain matin, elle a téléphoné au commissariat, et Catarella a balancé que j'étais là. Tu imagines la suite ! Elle m'a appelé, furibonde. Elle est convaincue que je suis là à cause d'une aventure et menace de débarquer d'un moment à l'autre. Donc, il faut se dépêcher. J'ai pensé que Betta ne pourra pas agir contre toi avant de s'être procuré un spécimen de *Splendens* à laisser (fais les rites de conjuration nécessaires) à côté de ton cadavre.

J'exclus qu'elle puisse en transporter un dans un

aquarium portable (ça existe ?), donc, elle va devoir l'acheter ici. En flânant dans M.M., j'ai vu deux animaleries. Aucune des deux ne vend de poissons d'aquarium. Mais j'ai vu des affiches un peu partout pour une exposition de poissons tropicaux qui sera inaugurée demain au 13, via Sempione. Je suis sûr que Betta tentera d'en voler un spécimen.

Comment pouvons-nous exploiter la chose en notre faveur ?

Maintenant, j'aborde une question délicate. Devons-nous l'« arrêter » avant qu'elle entre en action contre toi ou pendant qu'elle agit ? En tout cas, je voudrais te faire remarquer que j'ai mis le mot « arrêter » entre guillemets.

Parce que arrêter Betta signifie simplement la tuer. Nous n'avons pas d'autre choix. Nous ne pouvons pas lui dire « Police, mains en l'air ! » et lui passer de jolies menottes. Au bout de deux jours, elle sera libre (tu peux compter sur les services) et nous, on sera dans la merde. Va expliquer toute l'affaire à nos supérieurs ! Non seulement on va devoir la tuer, mais nous allons aussi devoir faire disparaître le corps. En somme, si on veut se sortir de cette histoire, il faut qu'après cela, plus personne n'entende jamais parler de Betta. Volatilisée.

Nous verrons comment faire, j'ai plus ou moins une idée.

Et là, une question se pose : est-ce qu'il est juste d'impliquer ton amie dans une telle entreprise ? Je dirais que nous pourrions recourir à son aide jusqu'à un certain point. Je m'explique : peut-être vaut-il mieux qu'elle ne soit pas présente, et donc n'ait aucune responsabilité, au moment où nous devrons liquider Betta.

Enfin : ce système de nous glisser mutuellement des lettres sous la porte, ça ne va pas. Quelqu'un pourrait vous voir, ton amie ou toi, en train de traîner près de chez moi (ou me voir moi près de chez vous) et le signaler. En fait, je ne crois pas que Betta agisse seule, elle a sûrement des collaborateurs, des informateurs. Trouvons un autre système pour communiquer. Je ne vais plus t'écrire de lettres si longues, peut-être ces deux derniers jours me suis-je senti trop seul et avais-je envie de me laisser aller. Excuse-moi si je t'ai cassé les pieds. Naturellement, tu brûleras cette lettre après l'avoir lue. Ou plutôt, comme dirait Marx (pas celui du capital, l'autre), il vaudrait mieux que tu la brûles avant de la lire.

Salvo

Sache que Giorgio Costa est un comptable très rigoureux. C'est pour cela qu'il a emporté avec lui son portable et son imprimante.

HAPPY HOUR
du lundi au jeudi
18.30-19.30
Bains
La Perla
Milano Marittima
Venez admirer
le coucher du soleil
avec nous !
Happy Hour
Cocktail 5 euros
Cocktail & Apéritif 8 euros
Disco funky avec les DJ Oleg et Mamed
Special Guest : Les Pétasses DJ set

Cher collègue,

Excuse-moi si je recours de nouveau à un message glissé sous la porte mais je fais vite, j'ai ce prospectus sous la main et je n'ai pas le temps de m'inventer un meilleur système. Il y a du neuf et il est urgent que tu le saches toi aussi.

Va à l'hôtel Esedra (2, via Paganini), ici à Milano Marittima et retire une enveloppe au nom de :

DI GENNARO

Attention, collègue, n'y va pas en personne. Envoie quelqu'un et fais attention que ce quelqu'un ne soit pas suivi. Dans l'enveloppe, tu trouveras des explications.

À plus,

Grazia

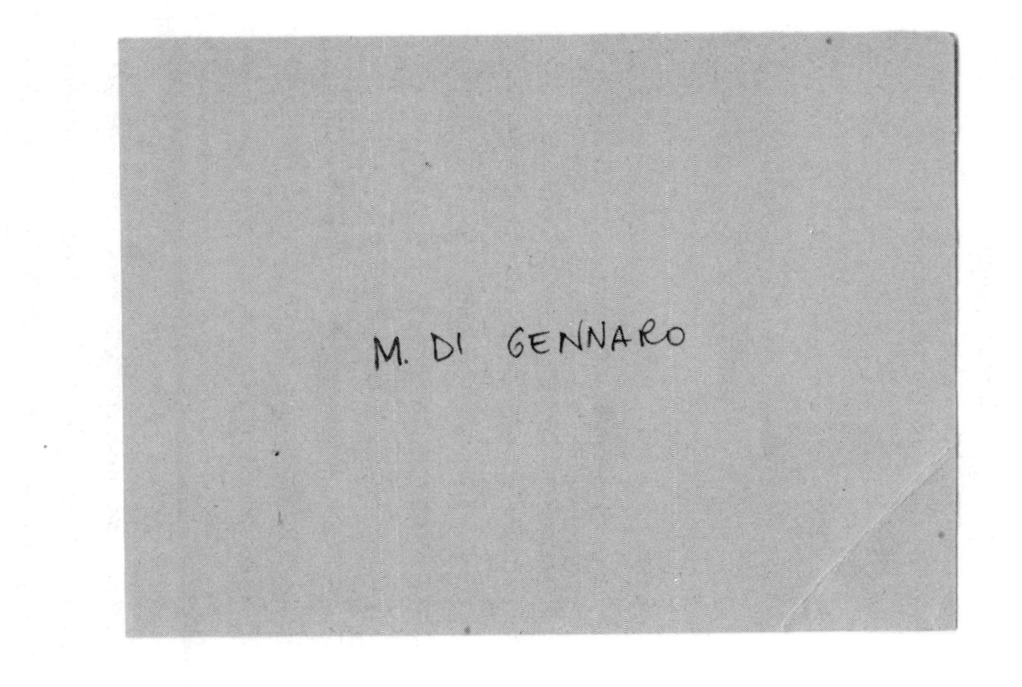
M. DI GENNARO

Hôtel Esedra

2, Via Paganini
48016 Milano Marittima (RA) – Italy
info@hotelesedra.com

Cher collègue,

Malheureusement, la situation s'est beaucoup compliquée, et tu comprendras dans quel sens dès que tu auras jeté un coup d'œil au matériel que je joins.

Tu sais où je l'ai trouvé?

Dans le sac à main de Betta.

Son adresse, je ne te l'avais pas encore donnée parce que, jusqu'à hier, je l'ignorais; j'étais seulement sûre qu'elle était arrivée parce que je surveillais la zone autour de mon appartement, certaine qu'elle allait venir s'installer dans les environs, comme elle avait fait à Bologne : et de fait, dès qu'elle est arrivée, je l'ai repérée (résidence Caraïbes, dans ma rue). Je voulais t'avertir, mais ensuite nous avons eu un autre coup de chance.

Des types à moto ont agressé Betta pour la voler, en bas de chez elle, elle a couru derrière eux sans succès, mais nous étions là aussi, Balbo et moi, nous les avons interceptés plus loin et on a repris le sac.

À l'intérieur, à part un peu de monnaie, un rouge à lèvres, un paquet de Kleenex et un trousseau de clés, il y avait ça :

NEGRO GRAZIA

Inspecteur-chef de la police d'État, brigade criminelle de Bologne

DATE ET LIEU DE NAISSANCE : 24 mars 1975, Nardò (prov. de Lecce)

ADRESSE : 31, via Cesare Battisti, Bologne (prov. de Bologne)

TÉL. PORT. : 335 2561 9007

RELATIONS : MARTINI SIMONE, concubin (30 ans, enseignant, aveugle)

Montalbano Salvo

Commissaire de police de Vigàta.

Date et lieu de naissance : 6 septembre 1950, Catane

Adresse : Marinella, Vigàta (Montelusa)

Tél. port. : 335 1305 2008

Relations : Burlando Livia, fiancée, vit séparément, employée SCR import-export de Gênes, habitant Boccadasse (prov. de Gênes)

On est mignons, pas vrai? Bien sûr, on est un peu granuleux mais je crois que c'est la faute de la transmission par mail (ou peut-être cette conne n'a-t-elle pas changé la cartouche de l'imprimante). Et qui sait ce qui m'était arrivé pour avoir une tête aussi ahurie (à moins que ce soit le cas tout le temps?) mais nous y sommes tous les deux, collègue (et je ne parle même pas du fait qu'ils savent tout, y compris l'existence de nos conjoints respectifs), tous les deux, collègue, toi aussi.

Ils te connaissent et ils pensent affectueusement à toi, comme tu vois.

C'est pour cela que j'ai quitté l'appartement et que je leur ai fait perdre ma trace, tandis que Balbo restait à la maison pour jouer les miroirs aux alouettes. Je suis sûre qu'on ne m'a pas suivie.

Cette nuit, j'ai dormi sur une chaise longue à la plage (tu imagines pas le froid) et ici, à l'Esedra, j'ai pris une chambre juste pour laisser l'enveloppe à la réception. Et maintenant je suis déjà ailleurs. C'est une chose de rester là à servir d'appât, mais c'en est une autre si les appâts sont deux. Pour finir, ils feront d'une pierre deux coups.

Quant à tes réflexions sur comment « arrêter » Betta : je suis d'accord. Ça m'est déjà arrivé de le faire avec quelqu'un que je ne pouvais pas interpeller. Ce n'est pas une chose dont je me souviens volontiers, mais je suis toujours convaincue d'avoir fait ce qu'il fallait. Mais avant, je voudrais comprendre exactement ce qui se passe. Ne serait-ce que pour protéger Simone et Livia. Et je crois que cette salope est l'unique personne en mesure de nous le dire.

J'aime bien ton idée de surprendre Betta à l'exposition de poissons tropicaux ce soir, mais il va falloir qu'on fasse quelques variations. Maintenant, mon cher commissaire Montalbano, aussi bien toi que moi, nous sommes pris pour cible.

Grazia

P.-S. : Juste pour nous mettre à égalité avec notre amie, je t'envoie un cadeau de la part de Balboni, qui n'est pas douée seulement pour coincer les arracheurs de sac, mais aussi pour prendre des photos en cachette.

Elle s'emmerde pas, la salope !

Ne bave pas trop dessus, collègue, et excuse le tirage papier, nous n'avons pas les moyens des services.

Dès que je m'arrête dans un endroit sûr, je te le fais savoir d'une manière ou d'une autre. Toi, entre-temps, creuse-toi un peu le ciboulot.

Chère collègue Balboni,

Je suis contraint de recourir au vieux système de la lettre glissée sous la porte parce que je ne connais pas l'adresse actuelle de Grazia, et il faut absolument que je lui parle. Comme, dans le sac à main de Betta, on n'a pas trouvé de fiche sur toi, je présume que tu n'as pas éveillé son intérêt. Donc, tu es clean. Et sois tranquille, tu vas continuer à l'être, parce que je ne suis pas venu en personne mettre la lettre sous ta porte, mais j'ai corrompu un gamin (il a voulu dix euros, le voyou). S'ils m'avaient vu entrer dans ton immeuble, je t'aurais compromise de manière irrémédiable.

La situation n'est pas simple.

Grazia est en cavale et j'ai fait la même chose quand j'ai vu ma photo retrouvée dans le sac à main. Je suis en train d'écrire au fond d'un café, à l'écart. J'y étais déjà allé par hasard l'autre jour parce que j'avais vu l'enseigne *Pâtisserie sicilienne*. Les cannoli sont bons. Je me suis lié d'amitié avec

Mme Giuseppina, propriétaire-caissière. Qui me prend pour le comptable Costa, contraint de s'éloigner de son cher clocher en raison de problèmes avec la justice. Elle croit que j'ai quelque rapport avec la mafia et elle en est restée fascinée.

Tu es donc la seule qui puisse maintenir le contact entre Grazia et moi. Comme tu sauras certainement la trouver, il est important que tu lui fasses savoir de toute urgence que :

1) Ce soir, à l'exposition des poissons tropicaux, ni elle ni moi ne devons nous montrer. Ce ne serait pas prudent, Betta nous connaît très bien grâce aux photos, même si elle ne les a plus en sa possession. Je propose que tu y ailles toi, chère Balboni, à notre place. Après, tu nous diras si Betta y était et quelle était son attitude. En outre, tu feras un plan des lieux, jusqu'aux accès secondaires, tu nous diras combien il y a de gardiens et où ils sont placés.

2) Il est très important que toi, Balboni, tu suives Betta, à condition qu'elle vienne, quand elle sortira de l'expo. Il faut repérer où elle habite. Et si elle est seule ou accompagnée. Je ne pense pas qu'elle ait de la compagnie, elle préfère toujours agir seule, mais je suppose qu'elle doit avoir des informateurs qui la tiennent au courant de nos mouvements.

3) L'idée m'avait effleuré que Grazia et moi achetions deux nouveaux portables pour communiquer

directement. Mais jusqu'à aujourd'hui, nous n'avons, je dirais guidés par l'instinct, pas utilisé de téléphone ni fixe ni mobile, et j'ai pensé qu'il était sage de continuer. Les écoutes sont vraiment trop faciles. Il ne nous reste plus que toi, chère Balboni. Donc, mets-toi tout de suite en contact avec Grazia, transmets-lui ce que je viens de te dire. Qu'elle m'écrive sa réponse avec ses observations et qu'elle glisse la feuille dans une enveloppe adressée à M. Costa. Cette enveloppe, tu devras la porter toi-même, au maximum d'ici deux heures, à Mme Giuseppina, caissière du café *Pâtisserie sicilienne,* 14, via Moro. Au moment où j'écris, il est 11 heures du matin. Dans une demi-heure, tu auras la lettre. Donc, tu as largement le temps. Quand tu porteras la lettre, moi je me serai éloigné du café. J'y reviendrai pour la lire et écrire la réponse que tu retireras pour la donner à Grazia. Je considère donc comme opportun que Grazia, pour gagner du temps, se trouve dans les parages de la pâtisserie.

4) Si dans l'exposition, il y a un spécimen de *Betta splendens,* notre Betta essaiera certainement de s'en emparer pour qu'on ne se souvienne pas d'elle en acheteuse, et faire en sorte que l'on retrouve mon cadavre et celui de Grazia avec un bel accompagnement de poissons rouges. Je n'aime pas les poissons rouges, j'adore les rougets de roche. La tentative de cambriolage, elle va la faire cette nuit, quand l'expo sera fermée. Et là, ce sera à nous de jouer. L'idéal, en fait, ce serait de la coincer sur les lieux de l'exposition

et de conclure là la partie. Chez elle, l'affaire serait plus compliquée.

Ne perds pas de temps à communiquer tout cela à Grazia. L'exposition ouvre dans cinq heures. Et nous devons nous organiser. Merci.

ACQUARIA S.P.A.
Exposition-vente de poissons tropicaux
Pavillon 2 stand 128. Nombreux spécimens.
Très beaux Betta splendens !

Cher collègue,

Comme je te le disais, nous n'avons pas les moyens des services, mais juste l'ordinateur d'Angelica, la petite-nièce de Balbo, qui, quand même, est graphiste, elle s'en sort mieux que moi.

Jusqu'à maintenant, Balboni nous a été très utile, et je suggérerais de l'enrôler avec toute sa famille. À part Angelica, qui est une gamine plutôt maligne, il y a aussi la soeur de Balbo et son beau-frère qui me semblent pouvoir nous aider. Pour quoi faire? Je te le dirai ce soir, j'ai peur que tu n'approuves pas mon plan et je préfère te mettre devant le fait accompli. Si tu penses que ça ne peut pas fonctionner, il sera toujours temps de laisser tomber.

G.

Il Resto del Carlino

QUOTIDIEN.NET

Dernière heure (22 h 37). WESTERN AU MILIEU DES POISSONS TROPICAUX. Tragique fusillade dans l'espace de la via Sempione. Un homme blessé à mort. Le mystère plane sur les causes de l'échange de coups de feu.

MILANO MARITTIMA – C'est l'intervention rapide d'un policier municipal qui a provoqué la réaction d'un homme et d'une femme en pleine tentative d'attaque à main armée ou d'enlèvement – cela reste à éclaircir – à l'exposition de poissons tropicaux. Le tragique bilan est de un mort, un homme atteint d'un projectile en plein cœur, tué sur le coup. Il s'agit de

Commissariat de Cervia
Brigade criminelle

PROCÈS-VERBAL
DE PREMIÈRE DÉPOSITION

Le 26 juillet 2006, à 15 heures, dans ce bureau devant le soussigné comm. princ. BALDINI ERALDO, officier de police judiciaire, est entendu M. CANTERINI ERMANNO – fiche d'identité en pièce jointe –, employé par la police municipale de Milano Marittima (RA), lequel déclare :

— Je me trouvais à l'exposition de poissons tropicaux qui se tenait via Sempione, du fait que je suis passionné par le sujet, en particulier par les *Chaetodontidae*, vulgairement appelés « poissons-papillons », dont le stand le plus fourni se trouve au 120 du Pavillon 1. Tandis que j'étais occupé à observer un aquarium particulièrement bien entretenu, j'ai aperçu le reflet dans la vitre d'une femme très séduisante qui se dirigeait vers l'entrée du Pavillon 2.

Sur notre interpellation : Par « séduisante », j'entends une belle femme de 30 ans environ, blonde, à la poitrine généreuse, vêtue de manière non pas provocante mais sensuelle, avec un sac à main en bandoulière. Je précise que je me suis retourné pour la regarder longuement avec une admiration non dissimulée, au point de noter qu'elle avait un petit grain de beauté à l'œil gauche.

Invité à reprendre son récit, il déclare :

— En tant qu'agent de police municipale, je savais que le Pavillon 2 était vide car considéré comme hors-service, et donc j'ai essayé d'attirer l'attention de la femme pour le lui dire mais elle a dû se méprendre sur mes intentions car elle m'a adressé un geste sans équivoque m'incitant à la laisser tranquille, et, après avoir jeté un coup d'œil à un prospectus qu'elle avait en main, qui, me semble-t-il, représentait un spécimen de *Betta splendens,* vulgairement appelé « poisson combattant », elle a poursuivi son chemin, entrant dans le pavillon susmentionné.

À ce moment, reprenant mon rôle d'agent de la police municipale, quoique en dehors de mes heures de service, j'ai suivi la femme pour lui intimer l'ordre de sortir, mais arrivé sur le seuil, je suis pratiquement tombé nez à nez avec deux personnes qui avaient agrippé la femme et essayaient de l'entraîner avec eux.

Sur int. : Étant désert, le Pavillon 2 était peu éclairé et je n'ai pas vu avec précision leurs visages. Je me rappelle qu'il s'agissait d'un homme dans la cinquantaine, chauve et bien bâti, et d'une jeune femme d'une trentaine d'années, très grande. Tous deux portaient des vêtements de sport.

À cet instant, j'ai agrippé la jeune femme par un bras et je me suis présenté comme agent de la police municipale, mais elle a sorti un Beretta 92F et me l'a pointé sur le visage en me disant de « pas faire chier ». Instinctivement, j'ai agrippé le poignet de la jeune femme, et à ce moment, la femme au grain de beauté a profité de la distraction du chauve pour le frapper d'un coup de coude au visage et s'enfuir, retournant dans la Pavillon 1. L'homme s'est lancé à la poursuite de la femme tandis que l'autre jeune femme me donnait un coup de genou dans le bas-ventre pour se libérer et les suivre tous les deux. À genoux au sol, confus et endolori, j'ai sorti mon arme de service et j'ai tiré un coup en l'air, après quoi j'ai perdu connaissance.

Sur int. : Je précise que j'étais en civil et hors service mais que je suis détenteur d'un port d'arme et que j'ai l'habitude de sortir armé.

Sur int. : Je suis au courant du surnom de « Rambo » dont des collègues m'ont affublé mais je ne le considère pas du tout comme péjoratif.

Ces déclarations ont été retranscrites dans le présent procès-verbal, qui a été lu, approuvé et signé.

Ci-joint par ailleurs le rapport médical signalant de sévères tuméfactions sur les deux testicules du susdit CANTERINI ERMANNO.

Ermanno Canterini
Eraldo Baldini

Carabiniers
Poste de Milano Marittima

Rapport

Le soussigné, car. FERRUCCI GIUSEPPE, de service auprès du poste local des carabiniers, rapporte ce qui suit :

Le 26/07/2006, à 21 h30, j'étais de service ordinaire à l'exposition des poissons tropicaux via Sempione quand, ayant entendu un coup de feu tiré en direction de l'entrée du Pavillon 2, j'ai vu trois personnes en sortir en courant et venir dans ma direction.

La première personne, une femme plutôt belle d'une trentaine d'années, est passée devant moi et s'est arrêtée un peu plus loin, elle s'est alors retournée, a sorti un pistolet automatique de son sac à main, et l'a pointé sur les deux personnes qui la suivaient, un chauve et une femme plus jeune.

La première femme a tiré trois coups dans leur direction, qui ne les ont pas atteints mais ont touché un grand aquarium dans leur dos, provoquant son explosion.

La femme a repris sa course vers la sortie de l'exposition, suivie par l'homme et la femme plus jeune.

J'ai cherché alors à les arrêter mais le soudain attroupement d'exposants et de visiteurs accourus pour sauver les poissons tropicaux en train de se démener sur le sol m'en a empêché.

Car. Ferrucci Giuseppe

Pour Miserocchi

Misero, fais pas d'histoire, parce que tu me dois une faveur, donc tu te tais, t'as compris, tu te résignes, le rapport tu me l'écris et je passe le signer.

Alors, inspecteur Coliandro, etc., etc., temporairement détaché au commissariat et assigné par mesure punitive au service de patrouille (mais ça, tu ne l'écris pas). Je tournais dans Milano Marittima à me faire chier (arrange ça avec les mots qu'il faut) quand je vois cette nana qui sort de l'exposition un pistolet à la main. Là, sur le moment, le pétard, je le vois pas parce qu'elle a deux nichons, la nana, putain quels nichons, mais ensuite surviennent un chauve et une gamine, tous les deux le flingue à la main, moi je pile et je bondis au-dehors, je hurle police, suivant le règlement, et je voudrais aussi la ramener avec mon pistolet mais je me démerde très mal avec l'étui.

La nana court vers une voiture garée de l'autre côté de la chaussée, dont est sorti un autre chauve, un type costaud, avec barbiche, imperméable blanc et lui aussi le Beretta à la main. Tous armés, dans ce putain de barnum, merde, sauf moi.

À peine je hurle police que la nana se tourne vers moi et me tire dessus, la salope, elle me pète une vitre. Je me chie dessus, c'est naturel, mais je suis un policier, qu'est-ce qu'on y peut, je réussis à sortir le pistolet et je tire une rafale en direction de la voiture, parce qu'elle est en train d'y monter et Barbichette est déjà à l'intérieur et démarre. Je chope les deux roues arrière, je voulais tirer dans le pare-brise arrière mais peu importe. L'auto pile, Barbichette sort en tirant et la gamine le laisse sur le carreau d'une balle en pleine poitrine. L'autre chauve ouvre la portière de la voiture et en extrait la salope, il regarde autour et me voit à genoux devant le véhicule de service, portière ouverte et clés sur le contact. Qu'est-ce que je devais dire ? J'avais vidé le chargeur avec la première rafale, eux, ils avaient les pistolets, ils me les pointaient dessus, les salopards, je me suis écarté et eux, ils sont partis avec la voiture en emmenant la salope avec eux.

Fin.

Misero, arrange-moi ça bien avec les mots qu'il faut, parce que moi je sais que si je l'écris, je fous le bordel et je finis dans la merde.

Allez, Misero, je t'en prie, vraiment.

C.

PROCUREUR DE LA RÉPUBLIQUE
AUPRÈS DU TRIBUNAL DE RAVENNE
SECTION DE POLICE JUDICIAIRE

Ci-joint photocopie du document retrouvé sur le corps de l'homme tué à Milano Marittima, 13, via Sempione, le 26 juillet 2006.

Il semble se confirmer qu'il s'agit du colonel en retraite anticipée Infante Mario.

Cognome INFANTE
Nome MARIO
nato il 8/2/1941
(atto n. 1835 P. 1 S. A1)
a PALERMO ( )
Cittadinanza ITALIANA
Residenza PALERMO
Via G. NICOTERA 22bis
Stato civile STATO LIBERO
Professione IMPORTATORE

CONNOTATI E CONTRASSEGNI SALIENTI

Statura 1,78
Capelli CASTANI
Occhi VERDI
Segni particolari ====

Firma del titolare
PALERMO
Impronta del dito indice sinistro
I.A. Sandy

MUNICIPIO II PALERMO
UFFICIO CARTE D'IDENTITA'

DATA DI SCADENZA

AR 7285576

Z.S. S.p.A. - OFFICINA C.V.

REPVBBLICA ITALIANA

COMVNE DI
PALERMO

CARTA D'IDENTITA'

N° AR 7285576

DI

MARIO
INFANTE

(*Début de l'enregistrement*)

Betta (*en arrière-fond*) : — … Salopards, fils de pute, vous imaginez même pas…

Salvo : – Tu enregistres ?

Grazia : – Maintenant oui… je crois… oui, il y a le voyant…

B. : — … non, vous n'imaginez même pas dans quelle merde vous vous êtes mis.

G. : – Nous ? On est dans la merde, nous ? Celle qui est ficelée comme un saucisson, c'est toi, il me semble.

S. : – Et si on te laisse ici, personne ne te trouvera.

B. : – J’avoue, vous m’avez eue, bien joué. J’avais fait appel à des gens pour vous surveiller…

G. : – J’imagine qu’ils sont encore là-bas. Ils verront mon amie avec deux personnes qui nous ressemblent. Je leur ai dit de bouger derrière les rideaux.

B. : – Et le coup de la gamine qui m’a donné le prospectus pour m’expédier dans le piège, au pavillon 2… bravo, si elle envoie un C.V., on l’embauche. Allons droit au but, qu’est-ce que vous voulez ?

S. : – Tu as tué Magnifico ?

G. : – Le type des poissons rouges… c’est toi qui l’as tué.

B. : – Mais bien sûr. Et ce n’est pas le premier. Mais pardon… c’est des aveux que vous voulez ? Des aveux enregistrés ? (*Elle rit.*) Oui, j’ai tué Arturo Magnifico, je l’ai fait boire et ensuite, avec Mario, on l’a étouffé avec un *Betta splendens* et un sac plastique.

S. : – Mario Infante ?

B. : – Ah oui, pardon… je dois être plus précise. Le colonel Infante et moi, nous faisons partie… ou plutôt, je fais partie, lui, je crois qu’il est mort, à voir comme tu l'as plombé… tu vises bien, mon chou.

G. : – J'ai tiré au hasard, sans regarder.

B. : – Tu as du talent, alors. Envoie-moi ton C.V., toi aussi.

S. : – Tu disais que le colonel et toi faisiez partie…

B. : – D'une structure réservée…

S. : – Pervertie…

B. : — … C'est la même chose. Magnifico et son ami avaient des informations compromettantes sur les affaires d'un certain général des services et sur les faveurs qu'il avait rendues à la politique à une période très difficile pour le pays. Il appelle ça du patriotisme, mais un magistrat communiste dirait que c'est de la haute trahison, et donc, pour ne pas risquer…

S. : – Vous intervenez, Infante et toi.

B. : – Je m'appelle Betta, je résous les problèmes. Magnifico mort, le problème, c'est devenu vous. D'abord l'inspecteur Negro et puis le commissaire Montalbano. Il me manquait juste un couple de *Betta splendens*… Putain de prospectus, il y avait une si belle photo, j'ai marché comme une idiote. Mais ne me dites pas que je suis ici, ficelée comme un saucisson, dans le seul but de vous dire ça. Vous le savez déjà, j'imagine. Comme j'imagine que cet enregistrement ne sert à rien, vous savez.

S. : – Ça, c'est toi qui le dis…

B. : – Bon, allez ! D'abord, c'est pas légal… et tout ce que j'ai dit peut être démenti. Ou bien disparaître dans un placard. Non, vous ne m'avez pas amenée ici pour m'arracher des aveux comme dans un polar. Le mystère à résoudre, maintenant, c'est autre chose.

G. : – Et ça serait quoi ?

B. : – Vous m'avez emmenée ici pour me tuer. Vous savez bien que si vous m'arrêtez, ça finira comme je le dis. Et si je vous disais que l'histoire est finie pour moi, vous me laissez partir et on redevient amis comme avant, je vous oublie et vous ne subirez pas de représailles ?

G. : – Mon cul…

B. : – Voilà, c'est bien ça. Alors, pour m'arrêter, pour vous libérer de moi, vous devez me tuer. Mais vous n'êtes pas des assassins. Vous ne tuez pas de sang-froid, ça, c'est mon rayon. Vous êtes des policiers. Et alors, voilà le mystère. Qu'est-ce que vous faites ? Inspecteur Negro, commissaire

Montalbano, qu'est-ce que vous allez faire maintenant ? Vous allez me tuer ?

S. : – Grazia… éteins le magnétophone.

G. : – OK.

(*Fin de l'enregistrement*)

Il Resto del Carlino

Une jeune femme nue renversée
et tuée par un chauffard

(V.M.) – Hier matin, vers 5 heures, Mme Matilde Rossetti, femme au foyer, habitant à Milano Marittima au deuxième étage d'un petit immeuble sis au 12, via La Spiga, qui était sortie sur son balcon pour étendre son linge, découvrit au centre de la petite rue étroite, courte et peu fréquentée, une jeune femme complètement nue qui errait d'un pas incertain et trébuchant. Passé le premier moment de très compréhensible stupeur, Mme Rossetti, après s'être munie d'un peignoir, s'apprêtait à descendre en hâte pour porter secours à la jeune femme quand elle entendit le grondement d'une voiture lancée à grande vitesse et, un instant après, un terrible fracas. Se précipitant de nouveau à la fenêtre, Mme Rossetti vit avec horreur le corps martyrisé de la jeune femme qui, sous l'extrême violence du choc, avait été projeté contre le rideau métallique d'un commerce. Du chauffard, plus aucune trace. La police enquête pour découvrir l'identité de la victime et celle du conducteur du véhicule qui l'a heurtée.

Il Resto del Carlino

Spectaculaires développements
de l'enquête sur la femme nue renversée
et tuée par un chauffard

(V.M.) – Les témoignages recueillis auprès des personnes qui ont assisté ne fût-ce que partiellement au choc mortel qui, hier à 5 heures, a coûté la vie à une belle et jeune femme qui errait nue via La Spiga, brossent un tableau beaucoup plus sombre encore que ce qui apparaissait déjà comme un atroce accident provoqué par un chauffard. En réalité commence à se dessiner l'hypothèse d'un meurtre barbare commis avec une froide détermination. M. Paolo Timi, habitant au n° 2 de la via La Spiga, a déclaré avoir vu arriver, alors qu'il ouvrait la porte de son immeuble pour rentrer chez lui, un couple composé d'un quinquagénaire chauve et moustachu et d'une femme qui portait un imperméable. La femme est apparue à M. Timi dans un état évident de confusion, peut-être sous l'effet de la drogue ou de l'alcool, au point que son compagnon devait la soutenir. Mme Michela Biancofiore, qui observait la rue à travers les lames de sa persienne, a elle aussi noté la même scène que celle rapportée par M. Timi, mais elle a ajouté un détail très déconcertant. À savoir que l'homme chauve et moustachu, à un certain moment, s'est arrêté, a retiré l'imperméable de la femme et, le vêtement sous le bras, s'est mis à courir vers la via Enea Ramolla, où il a disparu. Avec une vive stupeur, Mme Biancofiore s'est alors aperçue que la femme ne portait ni robe ni sous-vêtements. Paralysé par la surprise, le témoin a pu voir arriver de la via Ramolla, où l'homme chauve et moustachu avait disparu une ou deux minutes auparavant, une automobile de grosse cylindrée fonçant à toute vitesse sur la malheureuse, la renversant et la tuant. L'hypothèse la plus probable est qu'au volant de la voiture se trouvait l'homme qui l'avait dénudée. À ce stade, les questions qui se posent sont nombreuses et complexes. Le déroulement du crime, s'il s'agit bien d'un crime, apparaît tout à fait inexplicable. Si l'homme a laissé la voiture via Ramolla, du fait qu'il est impossible de se garer via La Spiga, qui serait aussitôt bouchée, pourquoi l'assassin a-t-il dénudé la victime ? Pourquoi la victime ne portait-elle qu'un imperméable ? Et quelle nécessité y avait-il à ce que le meurtre se déroule dans une rue toujours fréquentée ? L'autopsie de la victime, encore non identifiée, sera pratiquée demain et permettra de savoir si la femme était ivre, ou droguée, au moment de sa fin tragique. Nous tiendrons nos lecteurs informés des développements ultérieurs de cette affaire.

Il Resto del Carlino

Le corps d'une femme
dérobé à la morgue

(V.M.) – Le mystère de la jeune femme, encore non identifiée, renversée et tuée par un chauffard via La Spiga à Milano Marittima, paraît destiné à s'épaissir chaque jour un peu plus. De fait, hier, nous informions nos lecteurs que ce qu'on avait voulu faire passer pour un ignoble accident provoqué par un chauffard dissimulait en réalité un brutal meurtre prémédité. Or, la nuit dernière, des inconnus se sont introduits dans la morgue en déjouant la vigilance du gardien de nuit Ettore Vismara et ont dérobé le cadavre de la femme, dans le but évident d'empêcher le Dr Manlio Visibelli de mener à bien l'autopsie prévue pour ce matin. On estime que ledit examen aurait permis, à travers quelque signe particulier, l'identification de la femme. Ce serait la raison pour laquelle on a fait disparaître son corps. L'affaire a suscité une vive émotion en ville. La police observe la plus grande réserve.

PÂTISSERIE SICILIENNE DE LUXE
14, via Moro – Milano Marittima (RA)
Tél. 0544 34986 – nº TVA 2700054097

Chère Grazia, tu te souviens du jour où je t'ai envoyé des cannoli qui t'ont beaucoup plu, et qui m'ont valu un magnifique cadeau en retour ? Maintenant, je te prie de goûter ces cassatine. Ce soir, je rentre chez moi. C'est vraiment bien de t'avoir rencontrée.

S.

Ma chère amie,

Ça ne pouvait pas mieux tourner. Je crois que tout est résolu et que nous n'avons plus rien à craindre. Je suis plus que convaincu que les amis de Betta ne sont pas en mesure de bouger d'un orteil. Ce soir même, je rentre à Vigàta ; toi, retourne à Bologne et recommence à vivre comme si rien ne s'était passé. D'ici un petit mois, je t'enverrai une lettre dans laquelle je te raconterai comment les choses se sont vraiment déroulées avec Betta.

Je t'embrasse,

S.

Chère Grazia,

Je t'avais promis de t'écrire un mois après mon retour à Vigàta, et ceci pour une raison très simple : la prudence voulait que, après les événements spectaculaires de Milano Marittima, il n'y ait plus aucun contact direct entre nous pendant un certain laps de temps, afin de nous assurer que les amis de cette femme, qui fut autrefois *splendens*, resplendissante, et qui est définitivement éteinte, ne nous avaient pas identifiés.

Mais ta curiosité féminine l'a emporté et, hier, tu m'as appelé du commissariat de Bologne en te faisant passer pour une collègue « qui avait besoin du rapport pour clore le dossier ».

Voici donc le rapport.

Mais je dois d'abord t'avouer en toute sincérité que je n'ai pas du tout aimé la phrase de conclusion de ton coup de fil, à l'évidence un cri du cœur, qui consistait à peu près en ceci : « Mais tu ne crois pas que tu as exagéré ? »

J'en suis resté comme deux ronds de flan, crois-moi.

Ta phrase revenait à dire que tu avais cru les allégations des témoins, rapportées par le *Resto del Carlino*, à savoir qu'il s'est agi d'un crime d'une extrême barbarie. Et que l'auteur de ce crime barbare commis de sang-froid, à tes yeux, ce serait moi. Tu sais, il m'est très difficile de tirer, même au milieu d'une fusillade, alors que toi, tu y arrives plutôt bien, d'après ce que j'ai pu constater de mes propres yeux.

Je te raconte comment ça s'est vraiment passé.

Si tu te souviens bien, une fois terminé l'inutile interrogatoire de la *splendens*, nous nous sommes consultés un moment sur la suite et, comme ni toi ni moi n'avions les idées bien claires sur le sujet, nous avons convenu qu'on se laisserait du temps et que je repasserais d'ici peu pour apporter quelque chose à manger à Betta. La cachette était plus que sûre (tu t'es drôlement bien débrouillée pour la trouver !), et donc nous pouvions agir en toute tranquillité. Pendant que je réfléchissais, je me répétais les paroles de Betta : « Pour m'arrêter, pour vous délivrer de moi, vous devez me tuer. Mais vous n'êtes pas des assassins... »

Elle avait parfaitement raison. Je suis resté chez moi une demi-heure sans réussir à trouver de solution. Puis je suis ressorti, j'ai acheté deux sandwiches au jambon et une bouteille de vin et je suis retourné auprès de Betta. Tu sais quoi ? Je l'ai retrouvée comme nous l'avions quittée, aucun signe de peur ni de fatigue. Je lui ai retiré le ruban adhésif de la bouche et elle m'a tout de suite demandé, avec un sourire moqueur et une lueur amusée dans l'œil :

— Alors, qu'avez-vous décidé ?

— Pour l'instant, de te donner à manger, ai-je répondu.

— Merci, a-t-elle dit, de fait, j'ai un peu faim.

Comme si elle était au restaurant.

Je lui ai libéré un seul bras et lui ai donné le sandwich. Elle l'a dévoré.

Et puis je lui ai demandé si elle voulait une gorgée de vin.

— Non, je ne bois pas d'alcool. Je voudrais de l'eau.

Je n'en avais pas avec moi.

— Mange l'autre sandwich et ensuite je vais t'en chercher.

À ce moment, je me suis rappelé qu'elle nous avait raconté avoir tué Magnifico après l'avoir fait boire. Je voulais lui demander comment elle avait réussi sans lui tenir compagnie. Mais j'ai été distrait par un soudain accès de toux de Betta, qui avait avalé une bouchée de travers.

— De l'eau ! a-t-elle haleté, à demi étouffée.

Je lui ai immobilisé le bras, remis le ruban adhésif bien qu'elle glapisse « non non », et je suis sorti.

Arrivé en courant au bar le plus proche, au lieu de demander une bouteille d'eau minérale, j'ai entendu ma voix commander une bouteille de whisky.

Crois-moi, je suis resté surpris de ma propre demande. Je ne l'ai pas corrigée parce que j'avais décidé, à cet instant, de m'abandonner à l'instinct.

En revenant, j'ai enfin compris ce que j'avais derrière la tête.

Lui faire prendre une cuite monumentale et l'abandonner dans la rue.

À tous les coups, elle se ferait ramasser, sans papiers, par une patrouille et emmener au poste de police où, revenue à la raison, il lui serait difficile d'expliquer deux trois petits trucs.

Entre autres, je nourrissais l'espoir qu'ils pourraient l'identifier comme la belle femme présente à l'exposition de poissons. En ce cas, j'étais certain que Betta ne se hasarderait pas à prononcer nos noms, sous peine de se mettre elle-même en danger. Bref, mon plan était de révéler ses saloperies publiquement, en la grillant comme agent des services, pervertis ou pas, et donc en la rendant inoffensive.

Quand je suis revenu, je l'ai trouvé les yeux exorbités, elle étouffait. Je lui ai retiré le scotch et elle a pu mieux respirer.

— De l'eau !

— Bois ça.

Et je lui ai montré le whisky. Elle a écarquillé les yeux et a secoué frénétiquement la tête. Alors je me suis mis derrière elle, de la main gauche je lui ai pressé les narines, et dès qu'elle a dû ouvrir la bouche pour respirer, je lui ai enfoncé le goulot de la bouteille entre les dents.

À un quart de la bouteille, elle a vomi les sandwiches. Je lui ai fait avaler un autre quart avec difficulté. Puis elle est devenue inerte, elle buvait mécaniquement. J'ai mis beaucoup de temps à lui faire terminer la bouteille parce que je ne voulais pas qu'elle la rende. À la fin, par mesure de sécurité, je lui ai aussi fait avaler le vin.

Je l'ai fait dormir quelques heures. Puis, en me tenant sur mes gardes, je l'ai détachée. Je me méfiais d'elle, elle était capable d'avoir simulé l'ivresse et, à la moindre distraction de ma part, de m'assommer d'un coup de kung-fu (ça s'écrit comme ça ?).

À peine détachée, elle a glissé du siège à terre. Sa robe était souillée de whisky, de vin et de vomi. En plus, elle s'était pissé dessus.

Et donc, je l'ai déshabillée et je lui ai fait enfiler mon imperméable. Nous sommes sortis, et au bout d'un moment, la via La Spiga m'a paru le bon endroit pour la relâcher. Je lui ai retiré l'imperméable et je me suis enfui.

Voilà tout ce que j'ai fait.

La suite, je l'ai apprise par le journal.

Ça a vraiment été un accident provoqué par un chauffard inconnu, qui sera bientôt, j'espère, arrêté, pour que tu puisses revenir sur l'infâme soupçon que tu nourris à mon égard.

Ça ne peut être moi qui l'ai renversée parce que, à Milano Marittima, je n'avais pas de voiture. Et je n'aurais même pas pu en louer une, parce qu'il aurait fallu présenter des papiers d'identité et je ne pouvais faire savoir à personne que j'étais le commissaire Montalbano.

Et pour t'éviter d'autres vilaines idées, je t'informe qu'aucun de mes amis de la pâtisserie sicilienne ne possède une voiture de grosse cylindrée.

Je te le répète : c'est un chauffard qui l'a tuée. Et je suis tout aussi certain que ce sont ses copains des services qui ont fait disparaître le corps de la morgue, pour empêcher son identification. Lesquels copains, s'ils ne se sont manifestés d'aucune manière auprès de toi ni de moi, n'en ont probablement plus rien à cirer de la *splendens*, ou bien ne savent pas où aller fouiner.

Bref, je crois qu'on s'est définitivement sortis de cette histoire.

Le monsieur qui t'apportera cette lettre est un habitant de Vigàta très fiable. Il te remettra aussi une cassata sicilienne que tu pourras déguster tranquillement parce qu'à l'intérieur, il n'y a que les ingrédients de la cassata, pas de surprise en papier. Je t'embrasse fort.

Ton Salvo

NOTE DE L'ÉDITEUR

Printemps 2005. En les regardant dialoguer devant les caméras, je n'aurais jamais imaginé ce qui allait se passer sous peu, encore moins que d'un film pourrait naître un livre.

Nous sommes à Rome, dans le bureau d'Andrea Camilleri, avec Carlo Lucarelli à ses côtés, pour tourner les premières images d'un documentaire sur les deux écrivains produits par Minimum Fax Media.

Le dialogue est intense, interrompu seulement par les changements de batteries et de cassettes de la caméra, et par le grondement d'un hélicoptère qui envahit de temps en temps les micros.

Sur la scène défilent en accéléré paroles, anecdotes, souvenirs, évocations de leur métier, de leurs lectures marquantes, leur vision commune du roman expérimental, qui ébranle sans cesse les canons rigides du polar et du roman noir. Tous deux s'estiment, je dirais qu'ils s'aiment bien. Ils ont quarante ans de différence, mais ils s'expriment sur l'écriture à travers la même approche et se renvoient de généreux aveux de passion envers l'engagement civique que constitue le fait de raconter des histoires.

Ce qui est sûr, c'est qu'on est loin de ce que l'on s'attend à trouver dans une rencontre entre deux écrivains confirmés. Ici, le haut et le bas ont une égale dignité, et, pour les deux auteurs, les genres sont des limites naturellement franchies par l'esprit libre qui les anime. Ce qui se déroule sous les yeux de ceux qui sont derrière la caméra, c'est un écheveau complexe, passionnant, sur les mobiles qui déclenchent l'envie irrépressible d'écrire.

La seule certitude, c'est qu'eux deux s'amusent vraiment, ils sont sérieux mais légers et motivés; aussi pourvus d'un certain détachement et d'une certaine auto-ironie.

Et, gagnés par ce climat, nous nous amusons nous aussi.

Au point que, durant une nouvelle pause technique, n'y tenant plus, je leur pose la question fatidique que je remâche depuis un quart d'heure :

— Comment se comporteraient vos personnages,

Salvo Montalbano et Grazia Negro, avec un cadavre sur les bras ? Comment agiraient-ils ensemble dans une enquête ? Vous me le racontez ?

Andrea et Carlo ne bronchent pas, comme s'ils étaient préparés depuis toujours à une question de ce genre, ou plutôt, à cette question-là en particulier. Sur mon invite, donc, ils se lancent.

Ils commencent d'un coup à décrire ce qu'ils voient : elle, une chasseuse d'hommes, têtue, prête à l'action, déterminée ; lui plus philosophe, stratège et protecteur. Et en avant les hypothèses, les événements, les décors.

À partir de là se déchaîne devant nous une espèce de jam-session littéraire, où l'un parle et l'autre écoute, prêt à intervenir, à faire des variations sur le thème, à surprendre l'autre et à se surprendre lui-même. Se succèdent les bottes d'escrime et les reparties, les coups de théâtre ; l'histoire tient incroyablement bien debout et grandit à vue d'œil.

Comme dans un de ces bœufs historiques où Miles Davis monte sur la scène où Dizzy Gillespie est en train de jouer, quand la rencontre entre les deux produit quelque chose d'unique au point de donner pour toujours aux auditeurs l'orgueil de pouvoir dire « j'y étais moi aussi ! », j'ai goûté ce privilège de pouvoir assister à la création extratemporelle de l'improvisation, caractérisée par le style absolument singulier de chacun des auteurs.

La métaphore du jazz s'impose encore davantage pour décrire le tournage du documentaire : les deux auteurs aiment le jazz, ils croient que d'en écouter produit le *mood* décisif qui favorise l'écriture, les atmosphères de l'histoire, le climat de leur narration. D'après ce qu'ils nous livrent, Lucarelli poursuit un véritable travail expérimental sur les sons, Camilleri étudie depuis toujours la rythmique des pleins et des vides en prenant l'exemple de *Hamlet*, et finit par définir la respiration du récit comme « une respiration musicale ». La référence à l'art musical n'est pas le fruit du hasard.

On y est. Ce qui dérive d'une simple provocation de ma part s'éclaircit peu à peu.

Et, délaissant ma casquette de producteur du documentaire, je coiffe celle, plus habituelle, d'éditeur et je hasarde :

— Eh non, maintenant, cette histoire, vous l'écrivez !

Eux, à brûle-pourpoint :

— Oui, bon, d'accord, on l'écrit, mais comment?

Cette nuit-là, je me la rappelle bien, j'étais partagé entre mille hypothèses, conscient de l'impossibilité de séquestrer pendant six mois les deux auteurs dans une pièce pour leur faire écrire un texte dans une forme qui fusionne leurs contributions. Nous avions eu toutes les peines du monde pour trouver dans leurs agendas des journées libres pour les faire se rencontrer devant les caméras. Alors, un engagement pareil !

Le lendemain matin, nous nous revoyons chez Camilleri pour une autre séance de tournage. Tandis que sa très aimable épouse nous offre le café, lui, souriant de l'air de quelqu'un qui a tranché un dilemme, agite entre ses mains un vieux livre, et nous montre sa couverture : c'est *Murder Off Miami (A Murder Mystery)*, de Dennis Wheatley, un livre de 1936, sorte de dossier d'enquête où le crime est raconté avec des pièces à conviction, des rapports, des documents de la police, des photos, des lettres.

Eurêka. L'unité de mesure sera celle-là, et la forme sera celle du roman épistolaire, dans lequel les deux enquêteurs unissent leurs forces et en même temps se défient pour résoudre une enquête non officielle (qui, comme dit Lucarelli dans le documentaire, « est en elle-même un problème pour les personnages, et quand les personnages ont des problèmes, ils réagissent mieux »).

Cinq ans ont passé depuis lors. Andrea et Carlo, plongés dans l'écriture d'autres romans, films et dans des activités de toutes espèces, reprenaient en main les épreuves de *Meurtre aux poissons rouges*, et, de temps en temps, ne faisaient que se mettre mutuellement à l'épreuve. La jam-session a eu une histoire haletante, au cours de laquelle Camilleri parfois m'interrogeait en riant sur la réaction de Carlo à son dernier « coup » (comme ils appelaient les différentes expéditions d'écriture), et recevant la nouvelle des compliments et de l'embarras dans lequel il avait plongé l'autre, s'en réjouissait en ricanant presque pour, ensuite, le maudire cordialement à son tour quand il réceptionnait la réponse du berger à la bergère en démontant jusqu'aux fondations sa précédente construction, et le mettant lui aussi en difficulté. Le cas échéant, c'était Lucarelli qui riait dans sa barbe.

À l'arrivée au siège de la maison Minimum Fax des enveloppes pleines de photos, de collages, d'écrits à la main et à la machine (je n'ai jamais autant souri à un facteur), je m'enfermais dans mon bureau pour étaler suivant le rituel du poker les inventions de l'auteur expéditeur, et voir quel virage allait prendre l'histoire.

Je conserve jalousement l'original avec toutes leurs notes écrites à la main, et les demandes de conseils au camarade-adversaire. Oui, adversaire, parce que ces deux hommes s'estiment, mais tiennent à rester à la hauteur de l'écriture de l'autre. En somme, on joue, bien sûr, mais on ne rigole pas.

Carlo quelquefois a laissé passer des mois avant de répondre, m'avouant au téléphone que le Maestro l'avait mis en difficulté avec des changements de front et de stratégie. Enfin, il trouvait la solution, et, l'histoire avançant, je me convainquais toujours plus que l'échange épistolaire était devenu une partie sans pitié.

Et ici intervient l'autre métaphore inévitable : la partie d'échec.

Cet art est fait de stratégie, de chefs-d'œuvre tactiques, de guerre de position, de guerre des nerfs. Dans le jeu entre les deux auteurs-enquêteurs, il s'est passé quelque chose de ce genre, avec l'épisode récurrent de l'un des joueurs absorbé dans l'examen de l'échiquier et prenant le temps disponible pour parer le coup de l'autre.

Comme durant ces Olympiades des échecs de Varna en 1962, lors de cette partie historique entre le champion du monde soviétique Botvinnik et le jeune Bobby Fischer de Brooklyn, où le Russe prit tout le temps disponible pour répondre par une contre-attaque qui puisse le tirer du mauvais pas dans lequel il se trouvait et, la partie ajournée, passa toute la nuit à réfléchir au moyen de s'en sortir.

Il trouva la parade et, le lendemain matin, Fischer prit acte de la situation et admit l'« égalité ».

Le livre est enfin terminé.

Il ne fait pas de doute que, dans cette expérience, les personnages se rencontrent hors de la trame habituelle de leurs romans et interréagissent sur un terrain neutre et commun, et que cette situation peut produire quelque chose d'intéressant. Avant tout, les personnages eux-mêmes sont poussés au plus profond de leur identité, mais le style dans lequel ils sont racontés, dans ce match de réactions instinctives et d'écriture destinée à un interlocuteur nullement imaginaire, fait encore plus nettement apparaître les caractéristiques des écrivains eux-mêmes, leur personne, leur façon d'être. Et ici, le jeu jazzistique, le jeu dans le sens du *play* anglais et du *jouer* français, se libère de l'idée sacralisée de l'écriture dans son sens mortifiant et vétuste de « composition », terme mieux adapté à une dépouille qu'à ce type de libre expression.

Dans le jeu qui mêle le ludique et la musique, la ressource rare qui peut servir de terrain fertile pour ce type d'exercice est certainement l'harmonie entre les deux écrivains, leur envie de s'engager dans le match, l'humilité et le goût du risque que comporte un équilibre inhabituel. Donc, je ne puis que remercier du fond du cœur Andrea Camilleri et Carlo Lucarelli, qui ont voulu construire ensemble avec générosité sur un terrain accidenté, renonçant ainsi à un contrôle que leur offre d'ordinaire la conception de la structure d'un roman dans la solitude et la concentration.

Daniele di Gennaro,
Mai 2010

Achevé d'imprimer en octobre 2011
par Normandie Roto Impression s.a.s.
à Lonrai (Orne)

FLEUVE NOIR
12, avenue d'Italie
75627 PARIS – CEDEX 13

N° d'impression : 113951
Dépôt légal : novembre 2011
Imprimé en France